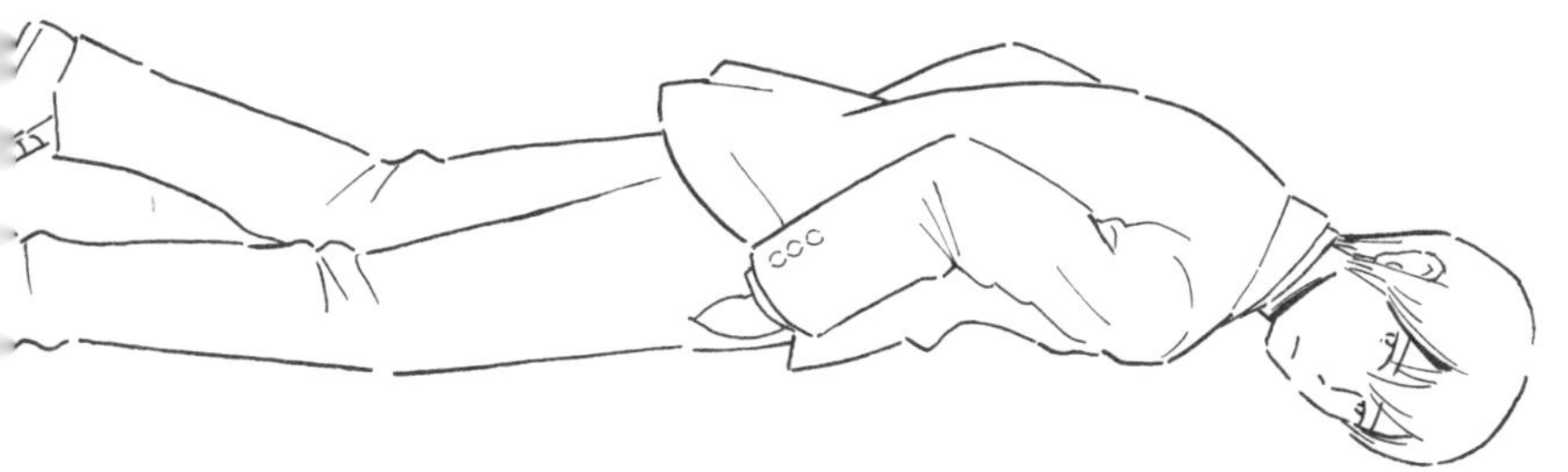

10代の「めんどい」が楽になる本

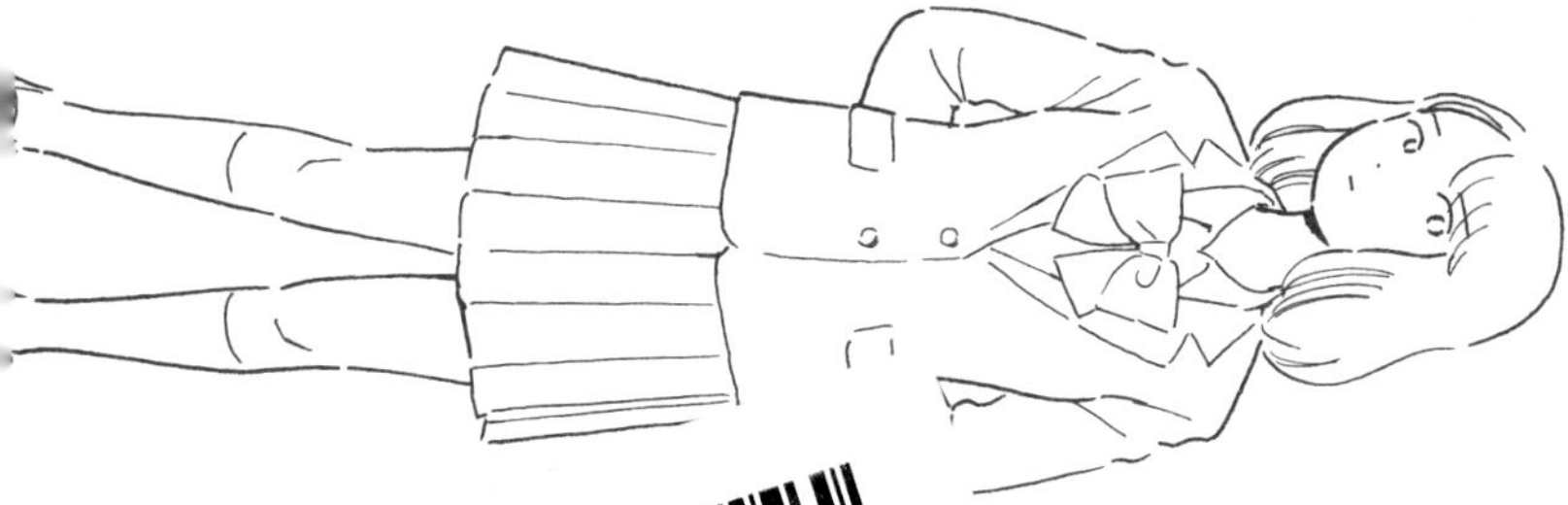

内田和俊

マンガ・石山さやか

KADOKAWA

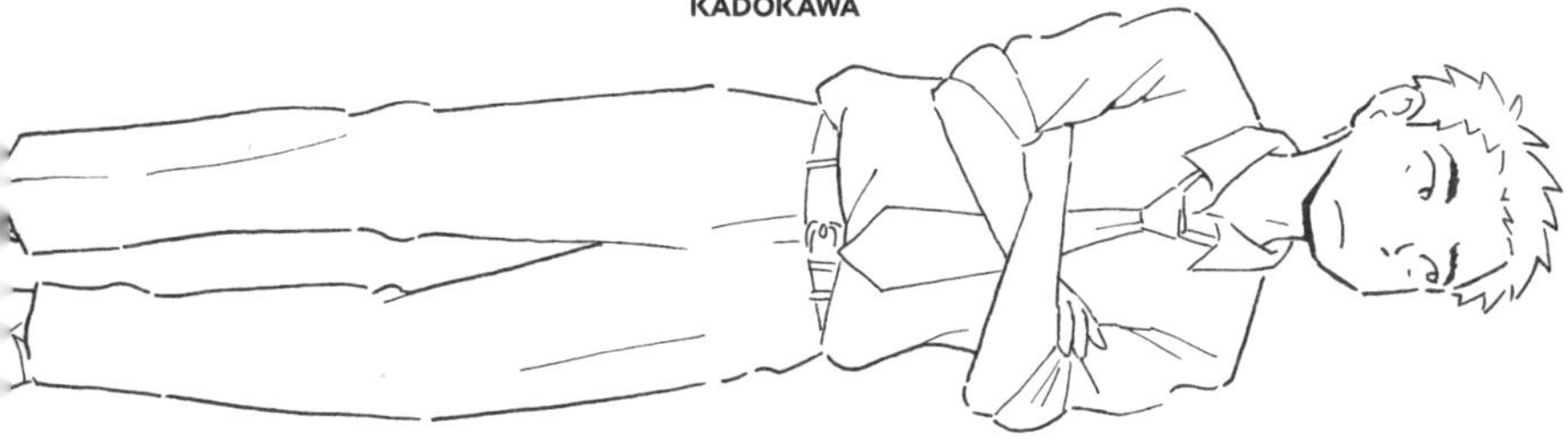

はじめに

いつの時代も、いくつになっても、その時代、その年齢に特有の「生きづらさ」というものがあります。

なかでも、特に10代は、今まで遭遇したこともないような「めんどいこと」が次々と目の前にあらわれ、心がザワザワしやすい時期です。

振り返ってみると、私の10代は、自分自身との闘いであったような気がします。

私の中には矛盾する二人の自分がいて、大事な場面で、うまく制御できない自分自身に手を焼いたものです。

例えば、一番、素直にならなくてはいけない場面や誰かに頼りたいときに、ひねくれた自分が突然あらわれ、意地をはったり、強がったりして、状況をさらに悪化させてしまったり……。

普段は妙に自信過剰なのに、重大な決断を迫られたり、大胆に振る舞わなくてはいけない場面になると、臆病で小心者の自分が突然あらわれ、尻込みしたり、遠慮したりして、絶好のチャンスを逃してしまったり……。挙げたらキリがありません。

こんなふうに、一番出てきてほしくないときに限って、出てきてほしくない方の自分が突然あらわれ、余計なことをしてくれるのです。

あの頃は、そんな自分を嫌うことで、理想の自分になれると本気で思っていました。

・早く気持ちを切りかえて、前向きになろう

・コミュニケーションは大事

・これからは冷静に判断し、計画的に行動しよう

そんなことわかってはいるんだけど、それじゃあ、何から始めたらいいのか、具体的に何をしたらいいのか、その答えは誰も教えてはくれませんでした。

本書には、その答えがあります。

10代の皆さんに「知っておいてほしいこと」や「実践してほしいこと」など、言われてみれば確かにそうだけど、意外と見落としがちな「考え方」や「対処方法」を、本書では例を挙げながら、たくさん紹介していきます。

ピュアで繊細(せんさい)で壊れやすい10代の皆さんに、いつまでも10代の純粋な心を持ち続けている傷つきやすい大人たちに、そして10代とともに歩む親や先生方にも読んでいただければ幸いです。

はじめに 002
キャラクター紹介 008

第1章
今の時代は生きづらいのか

プロローグ 012
選択肢が増えると生きやすくなる? 014
「10人に1人」が珍しいことではなくなった 017
スマホ社会の光と影 024
いつの時代も生きるのは大変 028
環境を変えれば、すべてがリセットされるのか? 030
根底にある「考え方」が私たちの人生に強い影響を与えている 035
質問表 036
判定表 040
対症療法か根本治療か 050

第2章

10代を颯爽とかけぬけよう

性格は変えられる？……058
そもそも性格って何？……059
自分の意志で変えられるものに注力する……065
人生には二度の危機が訪れる……070
堅い木は折れやすい……073
目指すは「鋼のような心」でなく「しなやかな柳の枝のような心」……076
レジリエンス（私たちにもともと備わっている「心の自然治癒力」）を高める……080

第3章

レジリエンスの高め方 Part1

知っておいてほしいこと

人それぞれ……086
正しい、正しくないの判断が私たちを生きづらくする……089
目標ってなきゃいけないの？……094

いつも輝いてなきゃいけないの？ 99
転んでもただでは起きない 108
何事にもプラスとマイナスの側面がある 112
比較が私たちを苦しめる 116
自分らしさとは 124

第4章

レジリエンスの高め方 Part2

実行してほしいこと

やる気に満ちた日は1年に何回ありますか？ 136
気球を空高く舞い上げる 139
完了と未完了 141
未完了を完了すればスッキリする 146
まずは書き出す（リストアップ） 149
あとは行動して、完了するのみ 152
サードプレイス（第三の居場所）を見つける 160

サードプレイスは、様々なプレッシャーから解放される場所 164
サードプレイスから得られる副産物 167
正直な思いを言葉にする 172
もし伝えないと、その「思い」はなかったことになってしまう 177
どうしたら自信がつくの？ ～約束を守る～ 184
そもそも続かないことはいけないことなの？ 194
逃げなくてはいけないこともある 197
続けるには？ 201

おわりに 206

本文デザイン：佐藤亜沙美（サトウサンカイ）
本文イラスト：石山さやか、笹森デザイン
制 作 協 力：小野莉水、奥野結菜

キャラクター紹介

タクミ

同じく2年A組。勉強もスポーツも得意で、2年生にして陸上部のキャプテンに就任。

ナナ

2年A組。英語が得意で数学が苦手。ダンス部メンバー。

ハルト

同じく2年A組。帰宅部だが、放課後何をしてるのかは誰も知らない。

アヤカ

同じく2年A組。美術部。この世で一番好きなものは甘いもの。

第1章

今の時代は生きづらいのか

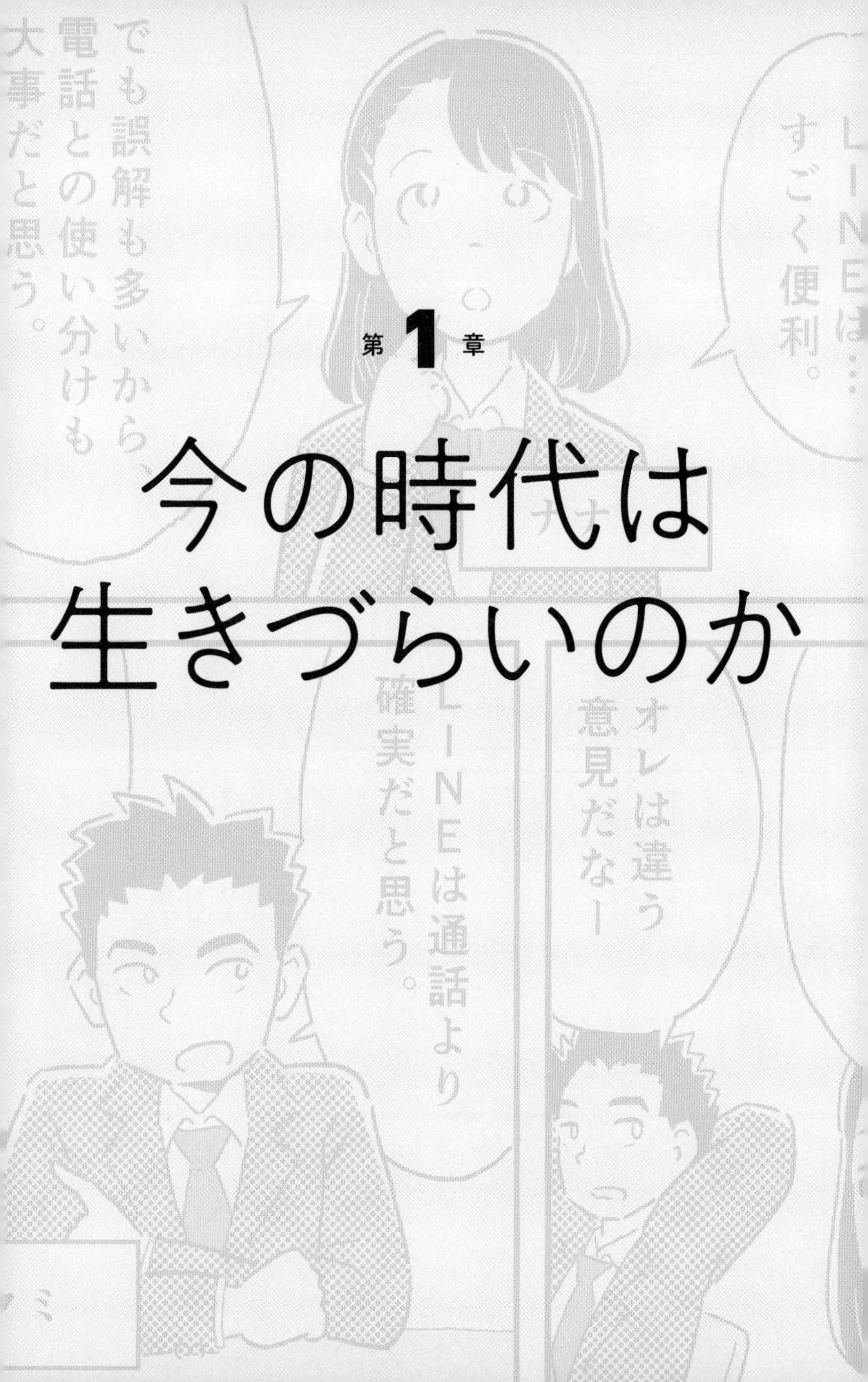

そういえばときどき、テレビとかネットで昭和を特集した番組とか記事見かけるけど、あの時代って何か楽しそうじゃない？やけにのんびりしてて。

え〜でも退屈そうだよ。いろいろ不便そうだし、スマホの無い生活なんて考えられない！

昭和の人って
意味なくテンション
高い人多いよね。
体育の
田中先生とか。
サーッはりきって
体操始めるぞー!!
イッチ
ニー!!

わかるわかる!

近所に
「ザ・昭和」って
感じのおばちゃんが
いるんだけど
いつも圧が強くて
会話も食い気味で
けっこうウザい!
あっら〜
ユミちゃん
いま帰り?
ズイ
また背伸びた?
部活がんばって
るんだって?
ズイ
あ…ハイ
すいません
急いでで
また…

ああ…

いるねー

昭和の時代
って、なんか
全体的に
人間関係
めんどくさ
そうって
思っちゃう…

ほどよい
距離感って
大事
だよねー!
アハハ…
?

プロローグ

突然ですが、皆さんは、昭和という時代にどんなイメージを持っていますか？

昭和は、皆さんの親が生まれた時代です。

思春期の皆さんは、親との対立や確執も多いと思いますが、皆さんの親が十代の青春時代を過ごした昭和～平成初期と今を比較すると、いろいろとわかってくることがあります。

著者である私も、昭和という時代に生まれて、**昭和という時代の影響を強く受けながら育ちました。**

前回の東京オリンピックが昭和39年（１９６４年）に開催されたこともあり、２０２０年の東京オリンピック開催が決まってから、テレビ番組や雑誌、ウエブ記事でも昭和に焦点を当てた特集が増えました。

昭和と聞いて、3部作の映画『ALWAYS 三丁目の夕日』を思い浮かべた人がいるかもしれません。あの映画を金曜ロードショーで見たという中学生から、「和服姿の人が多くて、ノスタルジックでレトロな世界観が記憶に残っています。令和より、むしろ明治に近い印象が強いです」という声を聞いたこともあります。

映画だけでなく、番組や記事では、昭和という時代のブラックな側面は、あまり描かれず、全体的に美化されています。それでもやはり、今よりも社会全体がのんびりしていて、時間にも気持ちにも余裕があったような気がします。

ただ、一方で、価値観や行動規範に関する選択肢が少なく、非常に息苦しく窮屈（きゅうくつ）でした。特に性別と中高生の振る舞いに関する決めつけには、ひどいものがありました。

私が中高生の頃は、マイルドな（物腰のやわらかい）男の子は、「男のくせに何だ、そのナヨナヨした態度は！もっと男らしく、しゃきっとしなさい」と言われました。

納得いかないことを蒸し返すと「男のくせにグチグチ言いやがって」と非難され、何か悲しいことがあって涙を流そうものなら、「男なんだから、メソメソするな」と、なぐさめられるどころか怒られたものです。

また、私が中学生の頃は、坊主頭が男子中学生らしい髪型とされ、日本全国の三分の一の中学校が校則によって、強制的に男子は全員が丸刈りでした。

女性は、もっと生きづらかったと思います。

男尊女卑が色濃く残っていて、女性がちょっとでも男性に対して意見すると、「男に向かって何だ！」と言われました。

元欅坂46の平手友梨奈さんのようなボーイッシュな髪型でクールな性格の女子生徒が

いると、「そんな髪型にしていたら、お嫁に行けなくなっちゃうよ。それに、女の子なんだから、もっと愛想よくしなさい」など、訳のわからない固定観念を大人たちから押しつけられました。

その他、男女関係なく、抜き打ちで持ち物検査が行われたり、校内で何かよからぬことが起こったときにはクラス全体で連帯責任を取らされるなど、明治時代どころか、ほとんど江戸時代と変わらない部分もあったほどでした。

私が中高生の頃までは普通に体罰ありの時代でしたので、理不尽な大人たちから、力尽くで偏った価値観や行動規範を強要されたものです。

このように、昭和という時代には、昭和特有の息苦しさや窮屈さがありました。

選択肢が増えると生きやすくなる？

今の時代は、様々な分野で、固定観念の枠が壊されつつあり、価値観や行動規範の押しつけも、ずいぶんと緩くなってきたように感じます。それに伴い、自由度や選択の幅が格段に広がりました。

それでは、**選択肢が増えると、それだけで手放しで喜べるのかというと、そうとも限りません。**

実は選択肢が多くても大変です。髪型や服装をはじめ、進路先や将来の職業に至るまで、選ぶのに迷いが生じます。

決めるには、時間とエネルギーが必要となり、それが知らず知らずのうちに私たちの負担やストレスになっているのです。

例えば、中高生の関心が高い「服選び」も、今の時代の方が、大変だと思います。

私が中高生の頃は、ジャージで登校して、校内だけでなく、帰宅後も、一日中ジャージで過ごし、しかも、ジャージのまま寝てしまうなんていう強者（つわもの）がクラスに何人かいました。

そんな私たちの時代と比べ、今はおしゃれな中高生が増えました。

今の時代は、ネット通販も含めると、無限に選択肢があります。ちょっとスマホで服を調べているつもりが、気づいたら、あっという間に数時間もたっていたなんてこともあると思います。

制服と比べ、私服選びは楽しいけれど、選ぶのが大変です。友達とかぶらないようにしなければなりませんし、いつも同じような服というわけにもいきません。服選びだけでも、私たちが中高生の頃と比べたら、今の時代の方が、気をつかいますし、時間もかかります。

価値観も多様化が進み、学校選びや職業選びにも、たくさんの道が開けています。どんな学校に進み、将来どんな職業に就き、何を大切にして、どんな人生を送るのか、生き方そのものに関しても選択肢が増えました。

私が中高生の頃は、YouTuberという職業はありませんでした。

学校を卒業したら、まず、どこかの会社に就職して、中流階級を目指すのがフツーでした。どこにも就職することなく、いきなり起業（自分で何か仕事を始める）なんていうことは、まずありませんでした。

選択肢が増えると楽しいことばかりではありません。

それに伴い、迷うことが増えます。

それだけではありません。比較の対象が増えますので、周囲の人たちとの違いにも敏感になり、選んだ後に他人の選択をうらやましく思ってしまうなど、後悔する機会も多くなってしまいます。

選択肢が増えることによって、私たちの心が、ますます騒がしくなってしまうのです。

「10人に1人」が珍しいことではなくなった

実は、私は小学校4年生から、ずっと言語に関する障害を抱えています。最初の言葉が出てこない難発性の吃音(きつおん)です。私のように成人になっても吃音が治らない人は、100人に1人と推定されていて、発達障害の一種とも言われています。

障害や強いコンプレックスを持っている人なら共感できると思いますが、私は「どもる」とか「どもり」という言葉を聞くと、ドキッとして、胸がしめつけられる思いがします。

中学生時代、「なんで、喋るとき、そんなにつっかえるの?もっと、ちゃんと喋りなさい」と先生に怒られ、場合によっては、荒療治でわざと大勢の前で話をさせられたりもしました。

同級生からは、変だと笑われたり、まねされてからかわれたりもしました。

就職してからも上司から吃音に関して叱責(しっせき)を受けました。電話を取ることのできない私は、最終的には退社という道を選ばざるを得ないこととなりました。

吃音という障害は、自分の努力では、どうにもできません。むしろ意識することによって、余計に悪化します。

障害は病気と同じで治るものだと思っている人や、なかには本人の努力不足と思っている人が今でもたくさんいますが、障害は病気ではありません。治療法が確立されているわけでもなく、該当する部位や器官を交換でもしないかぎり完治は見込めません。

もし、怒られたり、笑われたり、からかわれたりすることによって、吃音が治るんだったら、それらの仕打ちにも耐えることができます。でも、友達に笑われたって、先生に怒られたって治らないのです。

そんな私が、今の時代に生きる中高生を、ものすごくうらやましく感じることがあります。それは、マイノリティーと呼ばれる少数派の人たちが、「排除」から「受け入れ」に変わりつつあることです。

そして私のようなフツーではない子供たちに対する理解も深まっています。

「多様性」と訳されることが多い「ダイバーシティ」という言葉に象徴されますが、かつては少数派と言われ、肩身の狭い思いを強いられてきた人たちが、認められた社会、または、認められつつある社会になってきました。これは非常に健全で、より多くの人たちを生きやすくしていると思います。

例えば、ひとり親家庭は、児童（18歳未満の未婚の者）がいる世帯の10％を超えています。

性的少数者と呼ばれるＬＧＢＴは、全人口に対して10％前後と推定されていますし、いわゆる発達障害と言われる人も10％くらいと推定されています。

これは、左利きの人、血液型ならＡＢ型の人、偏差値なら62以上の人と、ほぼ同じ比率です。

日本で最も多い名字のトップ4は、佐藤、鈴木、高橋、田中なのですが、これでようやく国民全体の約5％です。これに、渡辺、伊藤、中村、小林、山本、加藤のトップ10まで加えて、ようやく10％に達します。日本に住んでいて、この名字の人に出会ったことがない中高生は、まずいないと言ってよいでしょう。

このように10％の人々は決して珍しい存在ではなく、むしろ身近な存在です。

昭和の時代は、ひとり親家庭、ＬＧＢＴ、発達障害などの少数派の人たちを、「かわいそうな人」「変な人」「フツーではない人」などと勝手に決めつけていました。

このような愚かな決めつけや思い込みが、私のようなマイノリティーを生きづらく、そして追い詰めてきたのです。

でも、もう今は変わりつつあります。

仮に今、あなたが何らかの少数派に属していたとしても、何も恥ずかしいことなんか

ありません。法に触れるような悪いことをしているわけでもありません。堂々と生きていいんです。

そして今後、もしあなたが、自分の努力ではどうにもならない事情によって少数派に属することになってしまったとしても、それによって、あなたの価値が低下するわけではありません。

負い目に感じることもないし、ビクビクしながら生活する必要もありません。自分の努力でどうにかできる勉強やスポーツや趣味に、正々堂々と打ち込めばいいんです。

優劣や生産性という基準ではなく、一人一人の個性に目が向けられ、それぞれが自分らしくいられる環境になりつつある今は、昭和の時代より、はるかに生きやすくなったなと、私は思います。

スマホ社会の光と影

特にコミュニケーション環境に関して言えば、私が中高生の頃と今を比較してみると、一番の違いは、ずばり、スマホの存在の有無だと思います。

薬で言えば、作用と副作用があるように、どんな物事にもメリットとデメリット、つまり光と影があります。今から、スマホに関して、それぞれの側面を見ていきましょう。

まずは、**プラスの側面**です。

もちろん、昭和の時代にはスマホはありませんでした。

そんな私が率直に感じるのは、スマホは本当に便利です。ドラえもんのポケットから出てくる道具みたいなものです。スマホを使うようになってから、以前は、よくあったコミュニケーションでのモヤモヤが激減しました。

例えば、会話の中で、「あー、あれ、あれ」というように固有名詞が思いつかなかったとしても、スマホを使ってキーワード検索すれば、すぐに解決します。

昭和の時代だとそうはいかず、誰かに訊(き)いて回るか、図書館などで調べたりしないと解決しませんでした。この長時間にわたって解決されないモヤモヤ感は、なんとも表現できないもどかしさがありました。

それに、言葉で説明するのが難しいものであっても、すぐ検索して画像を見せてしまえば、説明の手間が省けます。「あー、それね」といった感じで、その場に居合わせた全員が共通のイメージを抱くことができます。

そして、漫画のテーマにもなっていた、「LINE」ですが、あれはなかなかの優れものですね。お互いのペースでお互いを尊重しながらも、テンポのよい会話が成立するLINEは、非常に便利で楽しいものです。

次に、**マイナスの側面**も見ていきましょう。

まず、親の方針等でスマホを持っていない、または利用の制限をされていると、それだけで、仲間から取り残されてしまうという現実があります。

そして、これに関しては、皆さんも経験があると思いますが、スマホを買う買わない、利用の制限をするしない、利用時間が長い長くないで、親子のバトルが発生します。

それが原因で、親とはケンカの状態が続き、何ヶ月間もまともに会話をしていないなんて話もよく聞きます。これは、スマホが存在しなければ、ありえなかったことです。

それにニュースでも、よく取り上げられていますが、学校の裏掲示板の存在が、いじめの潜在化や陰湿化にもつながっていて、そのことも問題視されています。

そして、これが最も深刻なマイナスの側面と言えますが、スマホは、一度、持ってしまったら、手放せなくなってしまう魔性の道具です。だから依存症になりやすい。

本来、人間が使いこなすはずの道具に使われている状態、もっと言えば、**あんな小さなデバイスに私たち人間が支配されてしまっています。**

最後に、漫画のテーマにもなっていた、「LINE」に関して言えば、ライングループは、仲間と仲間以外という明確な線引きがされてしまう残酷さがあります。私の中高生時代にスマホもLINEもなくて本当によかったです。もし、あったら、私はもっともっと惨めな思いをしなければならなかった……。

そして、文字を中心としたやりとりは誤解が多くなります。

さらには、面と向かっては言えないような、きついことでも平気で言えてしまう怖さもあります。こんなとき、言葉は刃物になってしまいます。

また、ライングループやその他のSNSに投稿したことは、みんなに周知された、つまり「アップすれば、みんなが見てくれて、そして知ってくれていて当然」という気持ちをお互いが持っているから、友達の投稿はちゃんとチェックしなくてはなりません。これって、かなりの手間暇がかかります。

今の時代は、スマホが普及したせいで、友達どうしが常にLINEやその他のSNSでつながっていて、便利で楽しいと思っていることでしょう。

でも、この24時間３６５日「いつでも、つながっている環境」が、昭和とは違う、今の時代に特有な窮屈さを生んでいることも見逃せません。

私が中高生時代の通信手段は、いわゆる「家電（いえでん）」と言われる固定電話しかありませんでした。たいてい本人以外が電話に出ますから、電話をするときには、それなりの覚悟が必要でした。

夜8時か9時くらいまでが常識の範囲内とされ、それ以降の時間になると、余程（よほど）のことがないかぎり電話できませんでした。しかも、たいてい家電は家族全員が集まる場所に置かれていたので、会話の内容が、ほぼ筒抜けです。このような多くの理由から、スマホのように、気軽に電話をすることができませんでした。

そのぶん、一人のゆったりした時間を持つことができました。スマホのような気を散らせたり、集中力を中断させるような通信機器がなかったので、物事に腰を据えて、取り組むことができたのです。

だから、もちろん「ＳＮＳ疲れ」なんてものもありませんでした。

いつの時代も生きるのは大変

簡単に昭和という時代を振り返り、今の時代と比較してきましたが、それぞれの時代ごとに特徴があり、それぞれの時代ごとに一長一短があります。

どんな時代であっても、そして、どんな地域に暮らしていたとしても、それぞれに、生きやすい部分と生きづらい部分があるのです。

でも、私たちは状況が悪くなったり、現状に不満を抱き始めると、「隣の芝生は青い」ということわざがあるように、他の環境をうらやましく感じるようになり、できることなら環境を変えてみたいと思うようになります。

「**行き詰まったらリセットしたい**」

これはいつの時代であっても、私たちの根底にある本音のような気がします。

特に「コミュニケーション」は、どんな時代であっても、どんな年齢になっても、永遠の課題と言えます。

夏目漱石の初期の名作とも言われている『草枕』という作品があります。『吾輩は猫である』と同様に冒頭部分が特に有名です。

「知に働けば角が立つ。情に棹させば流される。意地を通せば窮屈だ。とかくに人の世は住みにくい。

住みにくさが高じると、安い所へ引き越したくなる……」。

文語は文語のままで、そのニュアンスを感じ取っていただきたいのですが、私なりに現代語に意訳すると、こんな感じです。

「正論を振りかざすと嫌われる。かといって感情移入してしまうと、正常な判断が鈍ってしまう。意地をはっているのも疲れるし……。やっぱり人間関係は難しい。その人間関係で行き詰まれば、逃げたくもなるさ」

100年以上も前の1906年（明治39年）に書かれた作品ですが、対人関係の根本というか本質は何も変わっていないようです。「なんだ、今の時代と同じじゃん」と、つくづく思ってしまうのです。

環境を変えれば、すべてがリセットされるのか？

ここで、ちょっと私の話をさせてもらいます。

中高生時代の私が今の時代にタイムスリップしたら、ほぼ確実に、私は発達障害と診断されるでしょう。

吃音に加え、病的なまでにこだわりが強くて神経質、注意力は散漫、好き嫌いが異常なまでにハッキリしていて、落ち着きがなくじっとしていられない「多動症」、協調性がなく同級生に合わせることもできない今で言う「コミュ障」……。

こんな私は、どこにいても常に浮いた存在でした。

当時の私にとって、クラス替えが行われる4月は、期待で胸がふくらむ時期でした。担任の先生も変われば、クラスメートも変わります。環境が変われば、生きづらさや居心地の悪さも解消されると思っていたのです。

特に人間関係が大幅にリセットされる中学、高校、大学に進学するとき、その期待の大きさは計り知れないものでした。ようやく人間関係の違和感から解放される。そう思い込んでいたのです。

でも、何も変わりませんでした。ゴールデンウィークが始まる前には、今までと全く同じように、新しい環境で私は相変わらず浮いた存在になっていたのです。

それは、大学を卒業して、就職してからも続きました。どこの職場に配属されても、私は常に浮いた存在のままでした。

私は環境が変わるたびに、人生がリセットされて、ようやく待ちに待った理想の人生を送れると思い込んでいました。少なくとも、今のこの息苦しさからは解放されると。

ところが、ものの数週間で、なぜか同じ状況になってしまうのです。孤立感が解消されることはありませんでした。こんなはずじゃなかったという、何かやるせない重苦しい気分だけが残りました。

なぜ環境を変えても、状況は変わらなかったのでしょうか？

二つの大きな街に
挟まれたオアシスの
中心には美しい
噴水があり
そこに
一人の老人が
座っていました

そこを
通りかかった若い男が
老人に尋ねました
これから
隣の街へ行こうと
思うのですが、
この先の街は
どんな街ですか？
老人はこう
訊き返しました
今までいた街は
お前にとって
どんな街じゃった？

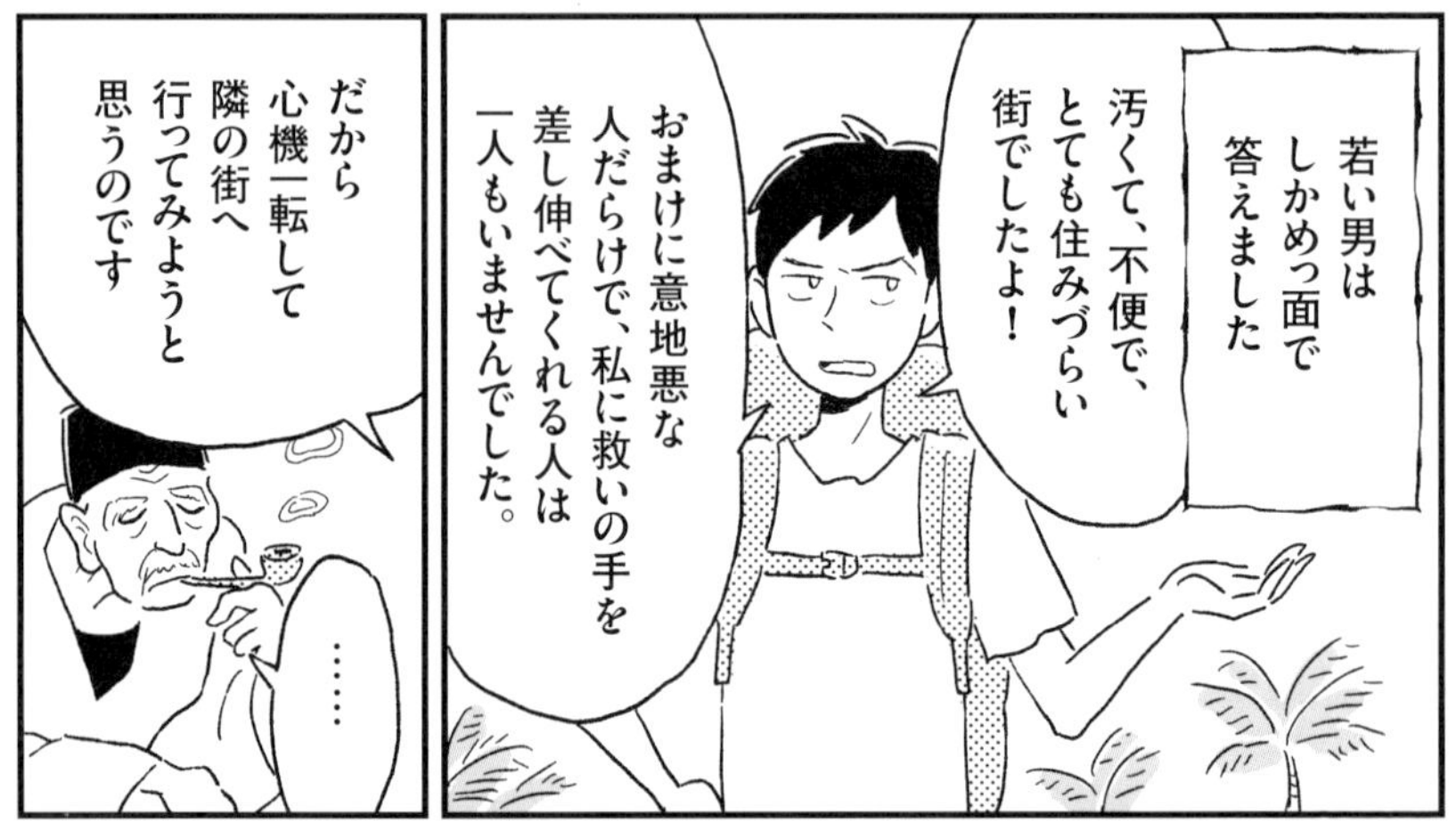
若い男は
しかめっ面で
答えました
汚くて、不便で、
とても住みづらい
街でしたよ！
おまけに意地悪な
人だらけで、私に救いの手を
差し伸べてくれる人は
一人もいませんでした。
だから
心機一転して
隣の街へ
行ってみようと
思うのです
……

すると老人はこう答えました
残念じゃが隣の街も汚くて不便じゃ
しかも意地悪な人ばかりおるぞ
マジか〜〜
しばらくすると先ほどの若い男と同じ街から、別の若い男が噴水の前を通りがかりました
その男も老人に尋ねました
これから隣の街に行こうと思うのですが、どんな街ですか？
今までいた街はお前にとってどんな街じゃった？
その若い男は明るい表情で答えました
とても綺麗で、親切な人ばかりの街でした！
たくさんの素敵な人たちに囲まれて楽しく充実した日々を送ってきました
でも新しい可能性を求めて、隣の街へ行ってみようと思うんです
それを聞いて老人は答えました
コクリ
安心せい、隣の街も綺麗な街じゃ。しかも親切な人がたくさんおるぞ

この漫画では、二人の若者は同じ町からやってきて、全く同じように隣の街に行こうとしています。

それなのに老人は、この後に二人が遭遇するであろう環境や人たちに関して、正反対ともいえる全く異なる予言をしたのです。

実際に同じ町で暮らしていても、たまたまいい人ばかりに巡り会う人もいれば、悪い人にばかりに出会ってしまう人もいます。その差は、どこから生まれるのでしょうか。運なのでしょうか。もちろん、それもあるでしょう。

努力でしょうか。もちろん、否定しません。実際に、自分の努力でどうにかできる範囲は、私たちが思っている以上に広いものです。

ただ、もっと大きな要因が根底にあるような気がするのです。

大げさな言い方かもしれませんが、私たちの人生をも左右してしまうような大きな「**何か**」が。

この「**何か**」の存在が、同じ地域で生活していても、同じ学校や塾に通っていても、同じクラスや同じ部活に所属していても、そこでの体験を全く異なるものにしてしまうのです。

根底にある「考え方」が私たちの人生に強い影響を与えている

エリック・バーンという精神科医が提唱した「交流分析」という心理学の理論体系があります。その中に、「Life position」という項目があり、**自分と他人に対する4つの立場**が紹介されています。

これは、自分と他人に対して、根底に持っている「考え方」、言い換えれば、自分と他人に対して抱いている「先入観」のパターンです。

その4つのパターンを紹介する前に、自分はどの考え方が強い傾向にあるのかを知っておいた方が理解も深まると思います。

まずは、質問表に取り組んでみてください。

質問表

選択肢
1：とても、よく当てはまる　2：まあまあ、当てはまる
3：あまり、当てはまらない　4：全く当てはまらない

カテゴリーA：自分に対する立場

①人前で堂々と振る舞える（1・2・3・4）
②ほめられても素直に喜べないことがある（1・2・3・4）
③自分の将来は自分の努力で変えられると思う（1・2・3・4）
④断るのが苦手（1・2・3・4）
⑤わりと自分のことが好き（1・2・3・4）
⑥最終的な判断を他人に委ねることが多い（1・2・3・4）
⑦自分の長所についてアピールできる（1・2・3・4）
⑧すぐ人と比較してしまう（1・2・3・4）
⑨人や運に恵まれている方だ（1・2・3・4）
⑩人にどう思われているのか気になる（1・2・3・4）

カテゴリーB：他人に対する立場

① 世の中には親切な人の方が多いと思う（1・2・3・4）
② 周りが思い通りに動いてくれないとイライラする（1・2・3・4）
③ 人をほめることが得意（1・2・3・4）
④ 友達に対して要求の基準や期待値が高い（1・2・3・4）
⑤ 憧れている人や尊敬できる人がたくさんいる（1・2・3・4）
⑥ 友達の成功をねたましく思うことがある（1・2・3・4）
⑦ 初対面の人とも気さくに接することができる（1・2・3・4）
⑧ 他人に対して、長所より短所の方が目につく（1・2・3・4）
⑨ 他人からのアドバイスを素直に聞くことができる（1・2・3・4）
⑩ 他人のミスが許せない（1・2・3・4）

※実際に計算して合計点を書き込んでみましょう。

得点表（カテゴリーA）

①	1：+2点	2：+1点	3：-1点	4：-2点
②	1：-2点	2：-1点	3：+1点	4：+2点
③	1：+2点	2：+1点	3：-1点	4：-2点
④	1：-2点	2：-1点	3：+1点	4：+2点
⑤	1：+2点	2：+1点	3：-1点	4：-2点
⑥	1：-2点	2：-1点	3：+1点	4：+2点
⑦	1：+2点	2：+1点	3：-1点	4：-2点
⑧	1：-2点	2：-1点	3：+1点	4：+2点
⑨	1：+2点	2：+1点	3：-1点	4：-2点
⑩	1：-2点	2：-1点	3：+1点	4：+2点

↓
①～⑩までの合計点　（　　　　　）点

得点表（カテゴリーB）

①	1：+2点	2：+1点	3：-1点	4：-2点
②	1：-2点	2：-1点	3：+1点	4：+2点
③	1：+2点	2：+1点	3：-1点	4：-2点
④	1：-2点	2：-1点	3：+1点	4：+2点
⑤	1：+2点	2：+1点	3：-1点	4：-2点
⑥	1：-2点	2：-1点	3：+1点	4：+2点
⑦	1：+2点	2：+1点	3：-1点	4：-2点
⑧	1：-2点	2：-1点	3：+1点	4：+2点
⑨	1：+2点	2：+1点	3：-1点	4：-2点
⑩	1：-2点	2：-1点	3：+1点	4：+2点

→①～⑩までの合計点（　　　　　）点

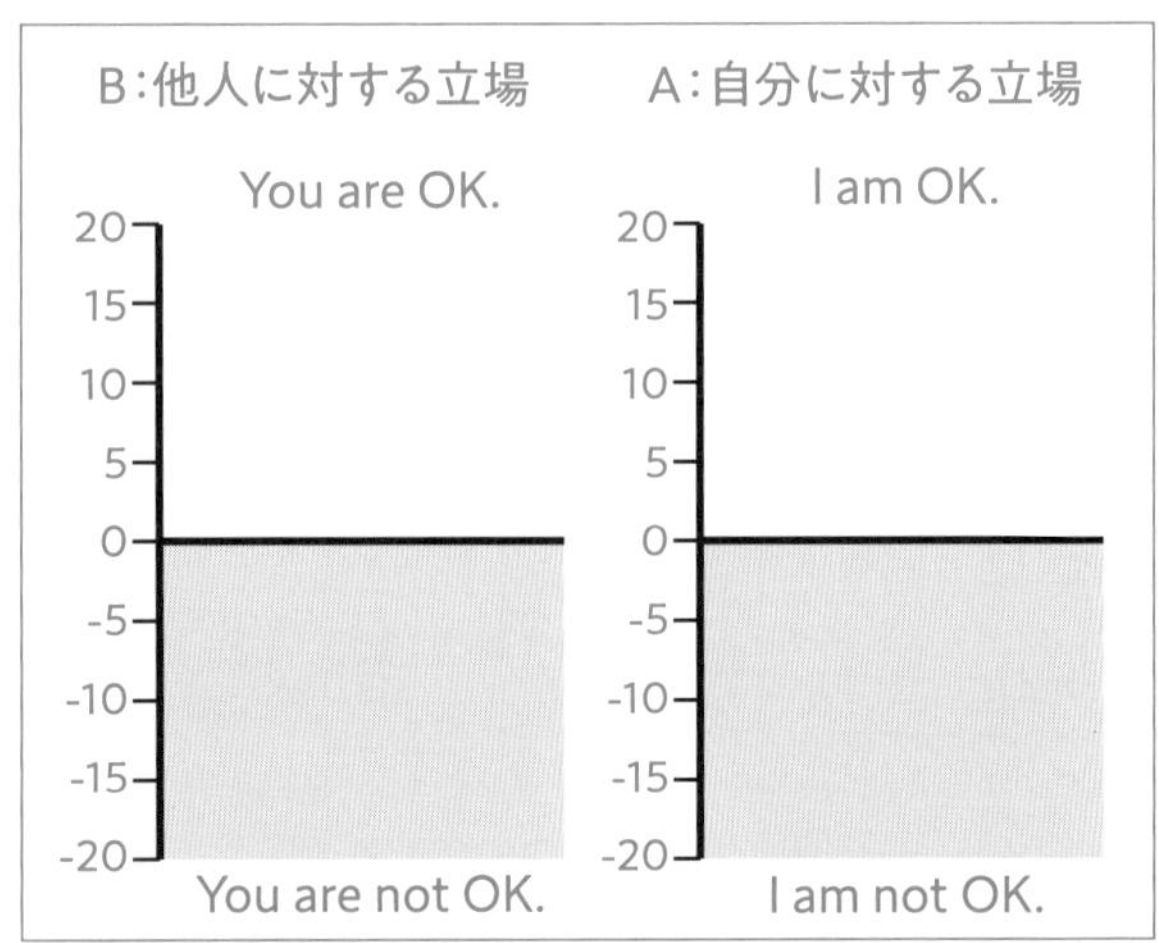

判定表

計算が終わり、それぞれの合計点が出たら、P42、44、46、49を参考にして、温度計の要領でカテゴリーA、カテゴリーBともに棒グラフを作成してください。

この判定表の結果は、今現在の皆さんの「自分と他人に対する4つの立場」をあらわしています。

「自分と他人に対する4つの立場」には、以下の4通りがあります。

（注）「ＯＫである」とは、素晴らしい、優れている、大丈夫、愛される資格がある、賢い、正しい、価値がある、役に立っている、など肯定的な意味で使っています。
「ＯＫでない」とは、劣っている、能力が低い、ダメ、愛される資格がない、間違っている、価値がない、役に立たない、など否定的な意味で使っています。

①「I am OK, You are OK.」
「ナナ」は、このタイプに該当します。


自分だけでなく、他人もＯＫであるという、「自他肯定」の考え方です。

いわゆる「協調性」があり、なぜかどんな人たちからも好かれる性格の持ち主は、根底にこの考え方を持っている人が多いです。

当然のことですが、私たちの考え方は自然と態度にあらわれます。この考え方を持っている人は、自分を大切にするだけでなく、他人をも尊重した態度を取れますので、接するすべての人たちを幸せな気分にしてくれます。

また、お互いを認め合う関係からは、対立が発生することも少ないです。

仮に対立があったとしても、信頼関係をもとにした前向きで建設的な解決策を見つけ

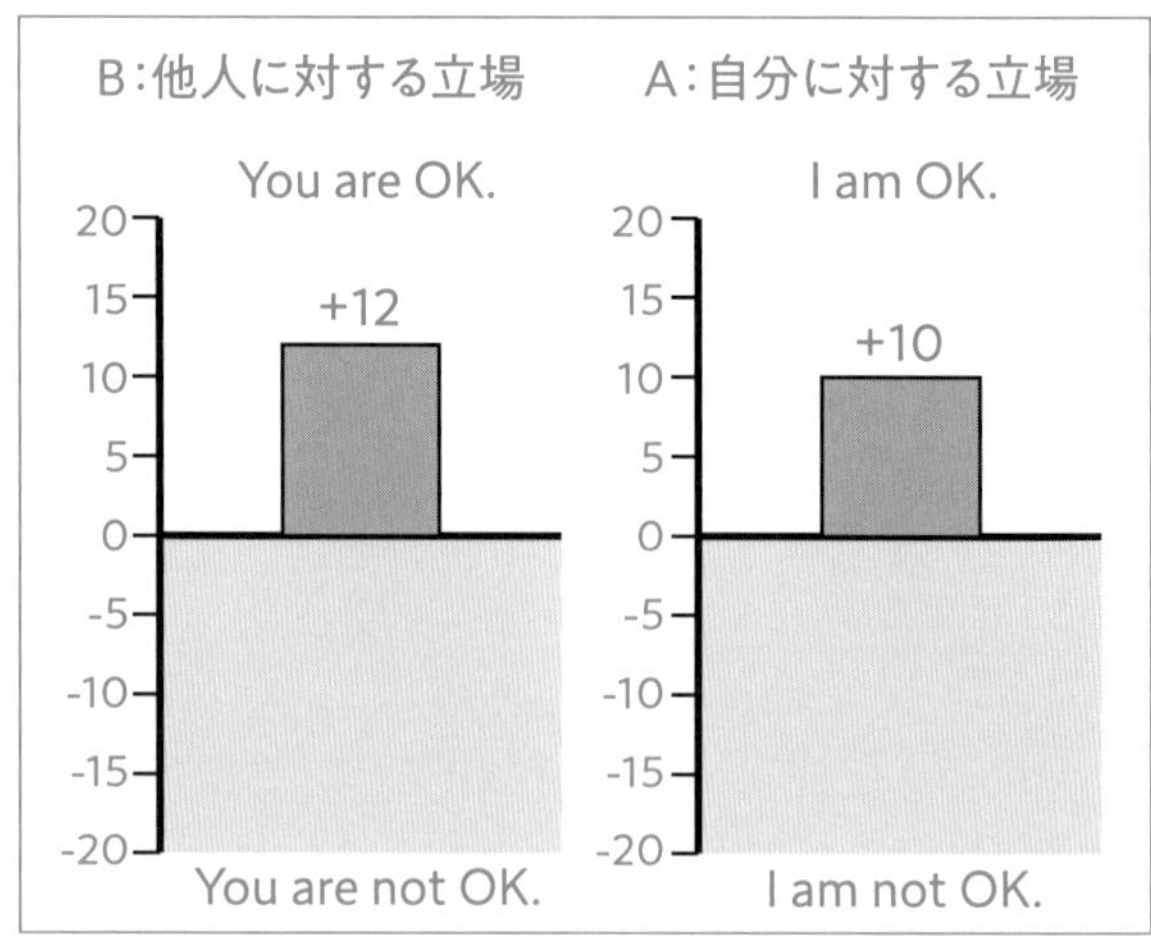

ようと努力しますので、対立が長引かないことが多いです。

私は、ここからさらに発展させて、"We are OK. We are all excellent."（私たちは、OK。私たちは、みんな素晴らしい存在なのだ。）という「考え方」をおすすめしています。私たちは、皆それぞれが特別な存在です。人それぞれ舞台は違いますが、みんながそれぞれの舞台で主人公なのです。

お互いを認め合い、たたえ合える間柄は、「WIN―WINの関係（共存共栄の関係）」の土台になります。よい友達に恵まれ、年下の人たちからは慕われ、年上の人たちからはかわいがられ、不思議とチャンスもたくさん訪れます。

豊かで安定した人間関係がもととなり、周

囲の人たちから、有益な情報や協力など多くのサポートを受けられます。

努力に見合った成果を手にする機会が増えるなど、人生で、うまくいく場面をたくさん経験できるのです。

この①は、ストレスの少ない楽しく充実した人生の土台となる考え方です。

②「I am OK, You are not OK.」

「タクミ」は、このタイプに該当します。

自分はOKだが、他人はOKではないという「自己肯定・他者否定」の考え方です。

すぐにマウントを取ろうとする人や強気でアグレッシブな性格の持ち主は、根底にこの考え方を持っている人が多いです。

また、いわゆる好業績者（勉強やスポーツで成功している人）に、この考え方をする人が多く見受けられます。

なぜなら、この考え方を持っている人は、自分は周りの人たちよりも優秀であるという自覚から、その自己優位性を証明するために、何事にも一生懸命に取り組む人が多いからです。

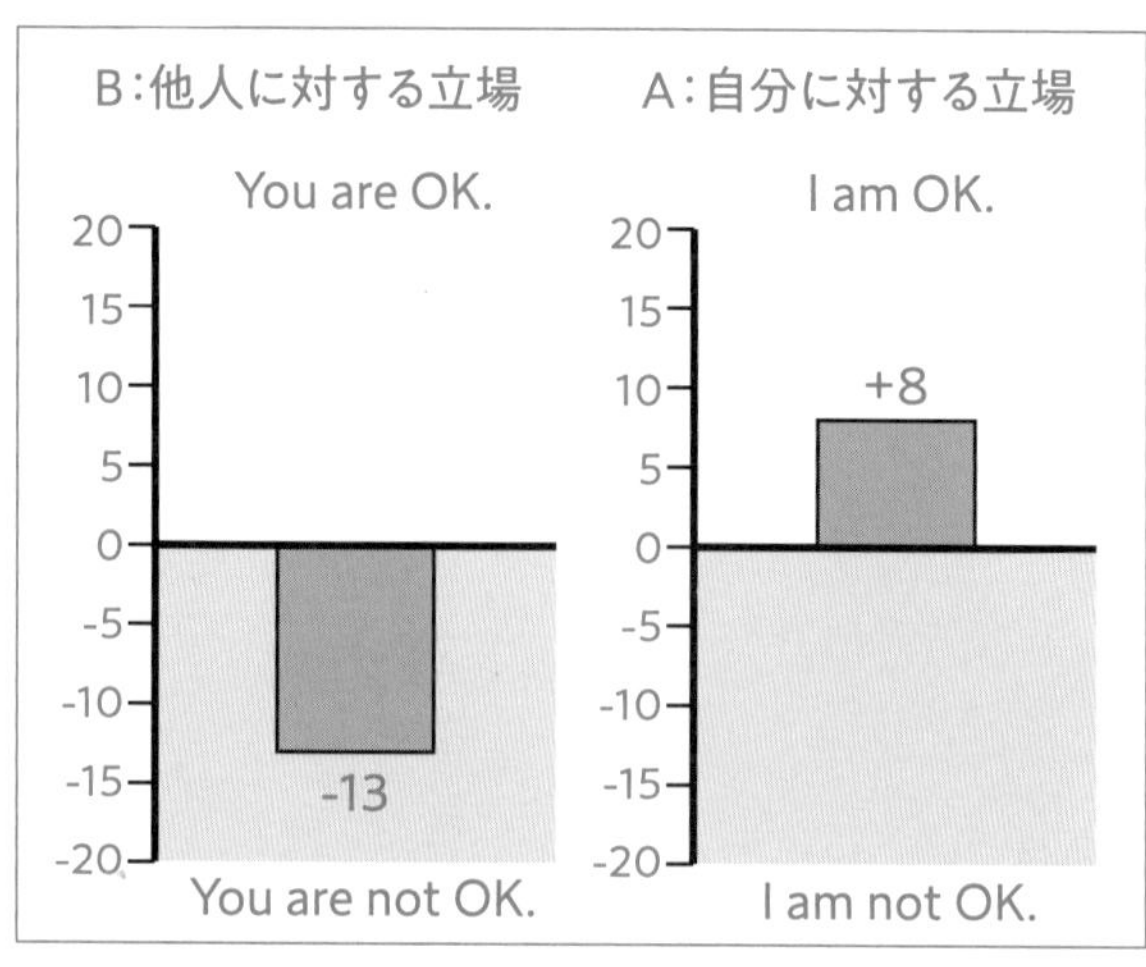

ただ、他人はOKでないと考えていますので、他人の人格や尊厳を認めることができません。

それが態度にあらわれると、自分勝手で自己中心的な言動が目立つようになってしまいます。例えば、常に上から目線で人を小馬鹿にしたような言い方をしたり、人を人と思わないような配慮に欠けた態度を取ったりしがちです。場合によっては、自分の成功のために他人を利用してしまうこともあります。

その結果、クラスや部活での人望が薄く、信頼関係を築きづらくなります。最悪のケースでは、クラス全員を敵に回し、孤立してしまうことすらあります。

また、何か不都合な事態や不本意な結果に遭遇しても、"I am OK."＝「自分には問題がない」、"You are not OK."＝「他人が悪いんだ」という考えのもと、その原因を他人や環境のせいにしがちです。反省もせず、開き直りがひどくなると、勉強やスポーツでも、伸び悩んでしまう場面が増えていきます。

また、自己防衛のために、他人を攻撃することもありますので、対立や衝突も増えますし、次第に人も離れていってしまいます。敵も多いので、特に人間関係において、トラブルが発生しやすい考え方とも言えます。

優秀な人が多く、様々な分野でよい結果を残し、将来はお金持ちになれる可能性が高いのですが、その割に、満足感や充実感を得られず、楽しさや幸せを実感することができません。

人間関係の脆弱性から、どこかで満たされていないことが多く、焦燥感、何かに対するやり場のない怒り、孤独感を抱えながら生きている人もいます。

③「I am not OK, You are OK.」

「アヤカ」は、このタイプに該当します。

自分はＯＫではないが、他人はＯＫであるという「自己否定・他者肯定」の考え方で

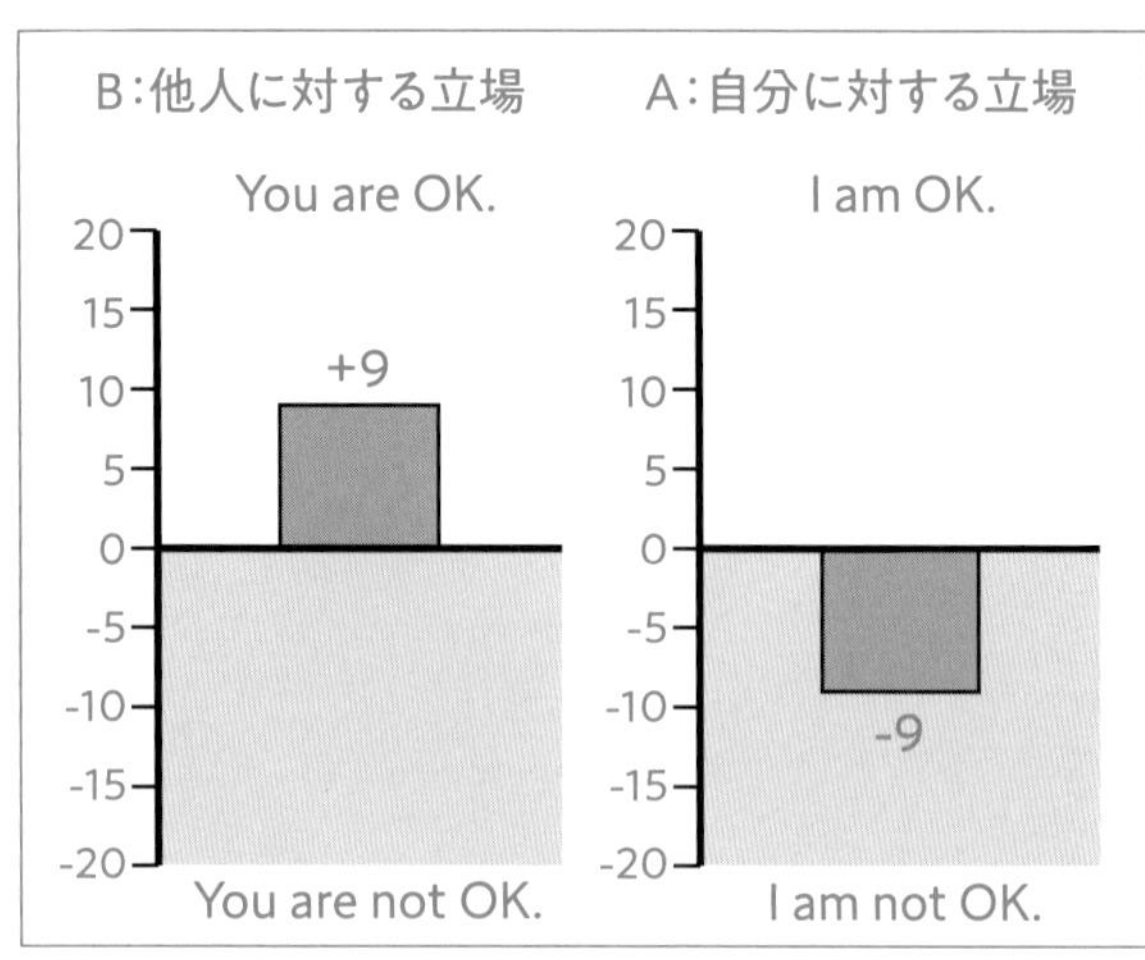

す。

おとなしくて、控えめで、どこか遠慮がちで引っ込み思案、ときに自虐的な性格の持ち主は、根底にこの考え方を持っている人が多いです。

自分にOKが出せない（自己を肯定できない）人は、すぐに自分と他人を比較してしまうクセがあります。

容姿や学力、運動神経などを他人と比べ、自分が劣っている部分ばかりが気になってしまうのです。

ここから発生する劣等感を自分を高めるためのエネルギー源にできれば問題はありません。

ただ、自分は不幸なのに、あの人は幸せそうだという嫉妬や羨望が強くなってしまうと、他人の足を引っぱったり、成功している人を逆恨みしてしまうこともあります。

こうなると、よい人間関係を築けなくなってしまいます。

自分にOKを出せない人は、自分に自信が持てないので、他者からの評価に非常に敏感です。その結果、常に親や先生、友達や恋人の顔色をうかがいながら、自らの意に反していても相手に気に入られるような選択をしてしまいがちです。

その具体例として、自分の予定を後回しにしてでも友達からの依頼を優先してしまったり、好みではない服を着ていたり、嫌でもハッキリ「NO」と言えなかったり、いやいや参加した集まりで、楽しくもないのに作り笑いをしていたり……、挙げたらキリがありません。

このように、流行や他人の意向に流されやすくなるなど、主体性を失いがちです。

一方で、自分以外の人たちは、優れている（You are OK.）という考えを持っているので、他人を尊重します。そのため、人当たりがよく、穏やかで、謙虚な人が多く、周囲からは好かれます。対人関係でトラブルが発生することは少ないです。

ところが、自分のことが好きになれず、自分との関係に悩むことが多くなります。

人と同じでないことを不安に思ってしまうため、自分らしさを押し殺してでも、他人に合わせようとします。自分らしく生きられないから、ますます自分が好きになれない

（＝自分にＯＫを出せない）という悪循環に陥ってしまう考え方とも言えます。

人間関係は良好なので、周りの人たちからすると、悩みもなさそうで幸せそうに見えるのですが、本人は人知れず苦悩を抱えていることがよくあります。

他人との対立が原因の孤立感ではなく、自己嫌悪や劣等感など、自分に対する「もどかしさ」や「やるせなさ」が原因の孤立感に悩みやすいのも特徴です。

④「I am not OK, You are not OK.」
「ハルト」は、このタイプに該当します。

自分も他人もＯＫではないという「自他否定」の考え方です。

何事においてもやる前から「どうせ無駄」と決めつけ、あきらめてしまうような、無気力で厭世的(えんせいてき)な性格の持ち主は、根底にこの考え方を持っている人が多いです。

この考え方が強い人は、自分にも他人にも存在価値（重要性）がないと考え、人生そのものを悲観したり、今さえよければいいという刹那的(せつなてき)な生き方をしがちです。

何とかなる、がんばれば報われるといったような肯定的な信念もなく、自己の成長や能力に磨きをかけるために、コツコツと努力をすることを嫌います。

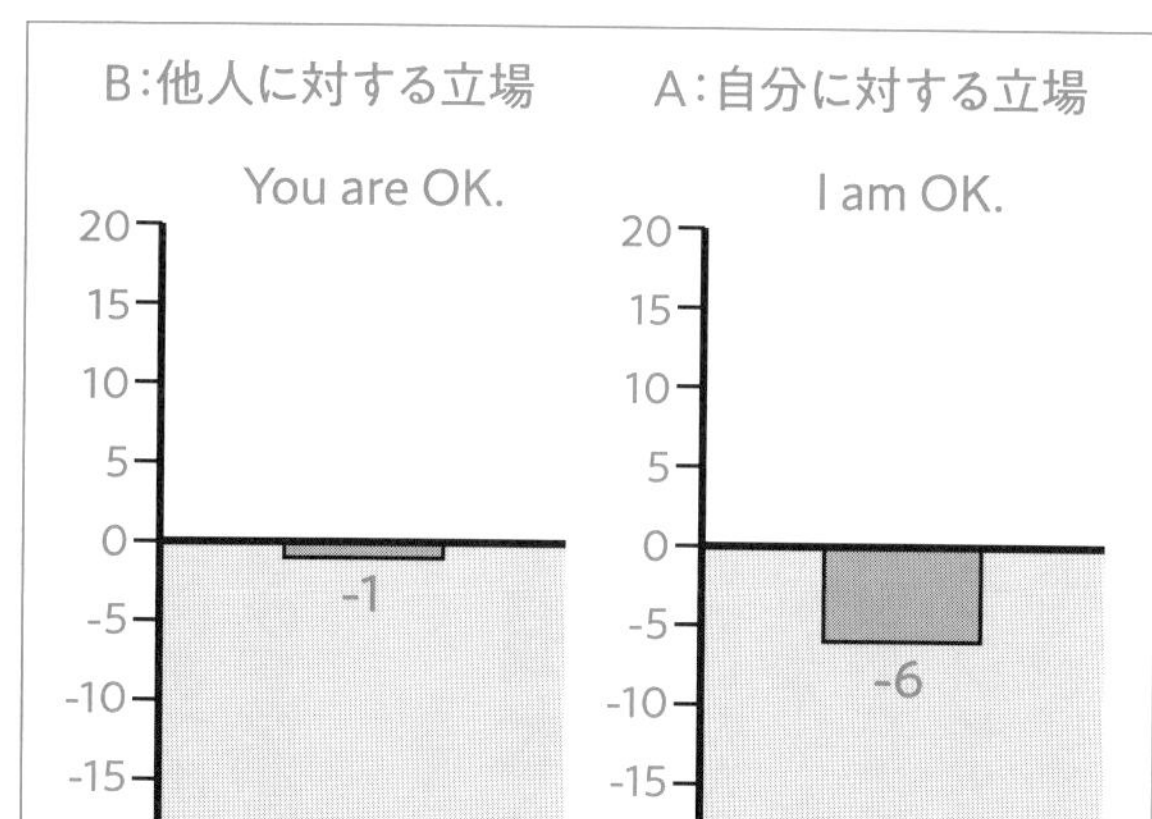

　また、すべてが運次第だと思っているため、どこか投げやりで、計画性もなく常に出たとこ勝負のような行動を取りがちです。

　他人や社会に対して建設的な関わり合いをしたいという欲求が少ないことから、他人に関しても興味や関心が薄く、場合によっては、人間関係を築くことそのものに無関心だったりもします。

　現実の世界に見切りをつけて、現実逃避をするために、ゲームやアニメなど空想の世界に没頭し、気づくと昼夜逆転生活をしてしまうなど、自堕落な生活をしてしまいがちです。

　最悪のケースでは、人間不信から人との関わりを遮断してしまう人もいます。

　こうなってしまうと、身だしなみにも関心を失い、散らかし放題の自室に引きこもりが

これによって、生きづらさが解消されていくのを実感できるようになるはずです。

しかも、①の考え方は普遍的な効果を発揮してくれます。今後、皆さんが、どんな環境に身を置いても、いくつになっても、皆さんの強力な武器となってくれる考え方です。

これこそ、まさに永久保証の根本治療とも言えます。

皆さんには、まずは、そちらを先に試してほしいのです。

それでも無理なら、または不運にも逃げなければ身が持たないような状況や人に遭遇してしまったのなら、そのときは正々堂々と環境を変えましょう。

ここでご紹介した「自分と他人に対する4つの立場」は、自分と他人に対して持っている「考え方」または「先入観」のパターンです。

これは私たちが世界を見るメガネでもあります。このメガネの色や度数を変えれば、当然、見える景色も変わってきます。

これは環境を変えるという発想ではなく、自分を変えるという発想です。

これこそが、あらゆる物事において、根本治療（永続的な効果が期待できるもの）につながっていくのではないかと私は考えています。

もちろん、判定表の結果は、固定的なものではありません。

どんな体験をするかなど様々な要因で自然と変わる可能性もありますし、そして何より、自分の意志で変えることができるのです。

この話を私が研修や講演会でしていると、「考え方を変えろということだけれども、これって、何か性格の問題がからんでくるような気がするんですけど……」という声をよく耳にします。

そう、その通りなんです。

その部分を次の章で深めていきましょう。

第2章

10代を颯爽とかけぬけよう

今月の「対話の時間」
今日のテーマは「性格」
•質問1
自分の性格は
好きですか？

オレは
自分大好き！
パーフェクト！

最近は凹んだり
落ち込んだりの
連続だけど、
気持ちの切り替えは
上手にできてる
気がする
比較的
立ち直りは
早い方だし…
私もけっこう
自分の性格
好きかな

私は自分の性格嫌い…
変えたいとこいっぱいある。
2人とも
いいなあ…
そもそも全く
興味のないテーマ。
つーか
この「対話の時間」
すごく苦痛。
•質問2
そもそも性格って何？
じゃ、次の
テーマね

意味不明

確かに
意味不明だよね。
人それぞれ？
十人十色？
…それくらいしか
出てこない。
フツーに使ってる
言葉なのに
改めて考えてみると
意味すらわかって
ないんだねー…
辞書には
何て書いてあるかな？

例えば広辞苑だと
「各個人に特有の、
ある程度持続的な、
感情・意志の面での
傾向や性質・認知」…って
書いてある。
大辞泉だと
「行動のしかたに
現れる、その人に固有
の感情・意志の傾向」
…だって。
他も大体同じ
感じだね…

え〜
余計に
わからなく
なってきた！
イミ ケイコー
カンジョー

変えたいけど
変えられないもの？
正体をつかめて
いない…
謎の物体？
というかそもそも
実体なんてあるのかな…

でも
もしその正体を
つかめたら、
嫌な部分を
変えられるかも…！

性格は変えられる？

第1章でご紹介した「自分と他人に対する4つの立場」を含め、私たちを生きやすくしてくれるのも、私たちを生きづらくしてしまうのも、私たちの性格です。

中高生に限らず、いろいろな世代の人たちをカウンセリングしていると、好きになれない自分の性格として、以下のようなものが出てきます。

・一度あることが気になってしまうと、なかなか頭から離れなくなってしまう
・すぐ他人をうらやましく思ってしまう
・飽きっぽくて、物事が続かない
・どうしても素直になれない
・優柔不断、なかなか決められない、決断力がない
・すぐカーッとなってしまうなど、自分の感情が制御できなくなってしまうことがある
・友達からの、ちょっとしたひと言の裏を勘ぐっては、落ち込むことが多い
・自分がないと言われる。八方美人。どこでもいい顔をしようとしてしまう

そして、深刻な顔つきで、よくこんな質問をされます。

「この性格は変えられるのでしょうか？」

この質問に対する答えは、YESでもあり、NOでもあります。

性格の正体をつかめれば、変えられます。しかし、性格の正体をつかめなければ、変えられません。というより、変えようがないのです。

そもそも性格って何？

冒頭の漫画で登場人物がしていた発言は、すべて正解です。

性格とは、十人十色、人それぞれ異なるものであり、考えれば考えるほど、正体不明なものです。

感覚的なもののまま放置しておくと、わかったような、わからないような……。

そんなふうに実体をつかめないままで終わってしまいます。もちろん、それでは性格に対して手の尽くしようがありません。

漫画でも班のメンバーが調べてくれたように、辞書によって表現こそ異なりますが、説明されている内容に関しては、だいたい同じです。ただ正直なところ、辞書の説明は、言葉遊びをされているようで、余計に混乱してしまう人の方が多いのではないでしょうか。

今から、性格をわかりやすく解説します。

性格には、それを構成する「思考」「気分や感情」「行動」という3つの要素があります。

（注）「思考」だけが、ちょっとわかりづらいかもしれませんが、ここでいう「思考」とは、考え方のクセ、物事のとらえ方、解釈などのことです。

（注）「気分」と「感情」の違い。
気分は「良い（快）」または「悪い（不快）」

というようにシンプルに二つに分類することができます。そして、それを細分化したものが「感情」になります。

例えば、悪い気分を細分化したものが、「怒り」「悲しみ」「不満」「嫉妬」「恐怖」「憎悪」「落ち込み」「後悔」「不安」「寂しさ」などの「マイナスの感情」になります。

ですから、「気分」と「感情」は、ほぼ同じ意味（「気分」≒「感情」）と思っていただいて構いません。

私たちは全く同じ状況に遭遇しても、それをどうとらえ（思考）、どのような気分または感情が生まれ（気分や感情）、どんな対応をするか（行動）は、人それぞれ異なります。**この3つの要素の組み合わせやパターンのことを私たちは「性格」と呼んでいるのです。**

例えば、近所で野良猫にエサをあげているおばあさんを見かけたとします。

それを慈悲深い行為と思い（思考）、ほっこりした気分になる（気分や感情）人もいれば、反対に無責任な行為だと思い（思考）、腹立たしく感じる（気分や感情）人もいるでしょう。

腹が立つ（気分や感情）までは同じ場合でも、その後の対応（行動）は、さらに枝わかれしていきます。

何もしない人もいるでしょうし、直接そのおばあさんに文句を言う人もいるでしょう。役所に苦情を言いに行く人もいるでしょうし、地区の集まりでルールを決めるよう提議する人もいるでしょう。

こんなふうに、近所で野良猫にエサをあげているおばあさんを見かけたという同じ出来事に遭遇しても、思考、気分や感情、行動は、人それぞれ異なります。

このように3要素には人それぞれ異なる組み合わせやパターンがあり、それを私たちは性格と呼んでいるのです。

そして、ここからは心理学の知見になるのですが、この3つの要素には、とても面白い特徴があります。

この3つの要素は、連動するのです。

どれか一つが、何らかのキッカケでプラスの方向に向かうと、残りの二つもつられてプラスの方向に向かいます。一方、どれかひとつでもマイナスの方向に向かうと、残りの二つもつられて、マイナスの方向に向かってしまいます。

皆さんも、気分がいいときは、考え方もポジティブになるし、体もよく動き物事がはかどるけれど、反対に気分が乗らないときは、何をするのも面倒くさいと思ってしまい、体も重く物事がはかどらないなど、今までの経験から、「気分や感情」に「思考」や

「行動」が連動することには、納得がいくと思います。

でも、これは「気分や感情」に限ったことではありません。「思考」か「行動」のどちらかひとつがプラス方向に向かっても、同様に他の二つの要素は連動してプラスの方向に向かいます。

もちろん、その逆もしかりです。「思考」か「行動」のどちらかひとつがマイナスの方向に向かってしまうと、他の二つの要素もつられてマイナスの方向に向かってしまうのです。

「思考」に「気分や感情」そして「行動」が連動する例として、発明王エジソンのエピソードをご紹介しましょう。

白熱電球を発明したエジソンに対して、新聞記者が質問しました。

「この発明に至る過程は、失敗の連続だったようですね」

その質問に対して、エジソンは、こう切り返しました。

「私は実験において失敗など一度たりともしていない。これでは電球は光らないという発見を、今までに1万回してきたのだ」

電球が光らないという事実に対して、天然なのか意図的なのかは不明ですが、エジソンは**失敗というマイナスの解釈**ではなく、**発見というプラスのとらえ方**をしたのです。

それによって、「気分や感情」そして「行動」が連動して、プラス方向に向かいました。彼は、前向きな気持ちを維持したまま（気分や感情）、積極的かつ精力的に実験に励むことができたのです（行動）。

逆に、もし失敗というマイナスの解釈をしていたら、彼は落ち込んだり、破れかぶれになったりして（気分や感情）、実験は中断や頓挫（行動）の連続になってしまっていたことでしょう。白熱電球の発明にまで至らなかった可能性だってありますし、そもそも後世に名を残すような偉人にだってなっていなかったかもしれないのです。

最後に、「行動」に「気分や感情」そして「思考」が連動する例もご紹介しておきます。

服装や髪型、メイクやアクセサリーを少し明るくしただけでも、「気分」はいつもよりウキウキして、「考え方」も前向きになるはずです。

また、ハロウィンや文化祭で英雄キャラなどのド派手なコスプレをしたら、まるでそのキャラがのりうつってしまったかのように、「気分や感情」そして「考え方」まで大胆になってしまったという経験をしたことがある人もいるでしょう。

自分の意志で変えられるものに注力する

今から、性格を構成する3つの要素である「思考」「気分や感情」「行動」を2つのカテゴリーに分類していきます。

①自分の意志で変えられるもの
②自分の意志では変えられないもの

どれが、どちらに該当すると思いますか。

前述の通り、皆さんは経験上、もともと「気分や感情」に「思考」と「行動」が強い影響を受けることを知っています。だから、希望的観測も伴い、多くの人が「気分や感情」を自分の意志で変えられたら嬉しいと思っているはずです。

しかし、とても残念なことに3要素のうち、この**「気分や感情」だけが自分の意志で変えることができません。**

実は「好き嫌い」も感情なのですが、もしこれが自分の意志で自由にコントロールできたら、嫌いな科目もなくなるので、不得意科目を簡単に克服できるようになるでしょう。嫌いな人もいなくなりますので、人間関係で悩むこともなくなりますし、食べ物だって何でも食べられるようになります。

だいたい考えてもみてください「やる気（やってやろうという気分）」を自分の意志で上げることができるなら、驚異的な集中力を発揮して超効率よく勉強ができるようになります。これって夢のような話ですよね。

そして、ゲームに対する「やる気」を自分の意志で下げることができるなら、ゲームになんか最初から手を出さずに、もっともっと有意義な活動にたくさんの時間を割くことができるようになるはずです。

一方、残りの2要素**「思考」と「行動」は、自分の意志で変えることができます。**

もちろん、「思考」か「行動」のどちらかをプラス方向に変えることができれば、それに連動して「気分や感情」も自然とプラス方向へと変化していきます。

ですから、これからは、自分の意志で変えられない「気分や感情」はスルーして（いったん、脇に置いて）、自分の意志で変えられる「思考」と「行動」に意識を向けた方が得策です。

第1章でご紹介した「自分と他人に対する4つの立場」は、ずばり「思考（考え方のクセ）」に焦点を当てています。

だから、「これって性格の問題じゃん！」と思った人は、大正解だったのです。

思考は自分の意志で変えられます。

自分にも他人にもOKが出せるようになれば、「気分や感情」そして「行動」にもプラスの変化があらわれます。それに伴い、私たちの生きづらさも解消されていくはずです。

ナナの悩み

お母さん大丈夫？

うん、ちょっとメマイがして…少し休めば治るよ

後片付けはやっておくから横になってきなよ

うん…ごめんね

ナナ色々ありがとうね

全然だよ

ほんと全然

お母さん最近体調崩しやすいし仕事でケガもしちゃったから私がやれることはやらないと…

本当はバイトとかできれば家計の助けになるのに、力になれなくて歯がゆいなあ…

カチャカチャ

タクミの悩み

タクミキャプテンてウザくね？

あーわかる

自分のやり方押し付けすぎだよな

あの走り込みあんまり意味ないって意見しても聞かないし大したことしてないのにエラそうなんだよなー

なんだよあいつら勝手なことばっか言いやがって！
オレはキャプテンなんだぞ！黙って従ってればいいんだよ！

アヤカの悩み
〜〜
チラ
チラ
あ〜っもう5分に一回は
スマホ見ちゃう…！
ガバッ
インスタの更新…
LINEの返信が
気になって…
あ〜
もうダメ！
勉強
ストップ！
ボフ
学校でも
笑い声や
ヒソヒソ話がすると
自分が何か
言われてるのかと
思っちゃう…
なんでこんなに
他人のことが気に
なるのかな…
私って
おかしいのかな〜
ハルトの悩み
ハルトー
ハルちゃーん
……
ガチャ
ハルト、
呼んでるのに
うるっせーな
入ってくんじゃ
ねーよ！
こっちは
心配してる
だけでしょ…
宿題は
終わったの？
ほっとけよ!!
出てけ!!
構いすぎな母親にも
イライラするけどダラダラ
してる自分にも腹が立つ…
何でボクって
こうなんだろう…

人生には二度の危機が訪れる

ここで、とても残念な情報をお伝えしておかなくてはなりません。

人生は、思い通りにならないことの連続です。

そんな人生は気候と似ている部分があります。

一年の中でも、天気が急変しやすい時期、天気が安定している時期、雨が降りやすい時期、晴れの日が多い時期など、時期ごとに気候の特徴があるように、人生の中でも比較的、心が安定しやすい時期と不安定になりやすい時期があります。

実際に、心が不安定になりやすい時期が、人生には二度（「第一の危機」と「第二の危機」）訪れると言われています。

「第一の危機」は、ずばり皆さんの世代、つまり思春期に訪れます。

思春期は、大人への第一歩を踏み出す大切な時期です。

行動範囲も人間関係も広がりますので、初めて遭遇する場面や今までにないタイプの人と接するなど、戸惑うことが増えます。様々な環境に身を置くことが増えますので、トラブルやもめ事に巻き込まれる機会も多くなります。

恋愛をすれば、心はジェットコースターのように激しいアップダウンを繰り返します。また、コミュニケーションにおいては、キャラ設定などの立ち位置が、なかなか定まらず、悶々（もんもん）とする時期でもあります。

体の成長に心が追いつかず、心と体のバランスも崩れがちです。

また、選択肢が多い現代は、前述（→16ページ）のように周りが気になって仕方がありません。

このように、常に心がザワザワと騒がしくなりがちで、落ち着きません。

そして、「第二の危機」は、皆さんの親の世代、つまり中年期（最近では「思秋期」とも言われています）に訪れます。たいてい「自分の体調不良」「不足しがちなお金」「年老いた親」という三大苦悩を抱えます。

皆さんは、学校では友達だけでなく先生との人間関係で気をつかい、部活に入っていれば顧問の先生や先輩後輩の人間関係にも気をつかいます。そして、塾や予備校に通っている人であれば、他校の生徒さんたちとの人間関係でも気をつかっていると思います。家に帰る頃には、体の疲れと気疲れの両方で、ヘトヘトになってしまっていることでしょう。

一方、親は親で苦労の連続です。会社やパート先では責任ある仕事を任され、上司と部下との板挟みに苦しみ、近所づきあいや親戚づきあいも大変です。その他、ここには書ききれないくらいに、大人の事情をたくさん抱えています。

皆さんからしたら親はいい年に見えるでしょうが、人間なんて中年になっても、精神的には、まだまだ未熟なものです。感情抑制能力に関して言えば、中高生と、たいして変わりません。

このように、お互いが人生の危機に直面していて、心が不安定になっています。肉体的にも精神的にも疲れているときに顔を合わせたら、衝突してしまうのも不思議ではありません。

皆さんも、そして皆さんの親も、今まさに、そういう時期のまっただ中にいるんだということを知っておいてください。

ただ、さきほども言いましたように、人生は気候と似ています。時期的なものなので、数年もすれば嵐は必ず過ぎ去ります。その後も例外的に親との確執が続く人もいますが、少なくとも今よりは落ち着きますので安心してください。

この「人生の危機」という時期は、家でも外でも、飛行機が乱気流に巻き込まれてしまっているかのように、自分の力ではどうにもならないようなことに翻弄（ほんろう）されがちです。

人生には、そういう周期というか、巡りあわせがあります。そして、それが今なのです。

繰り返しますが、安心してください。あくまでも一時的なものであってこの後は、安定してきます。

しかも、「人生の危機」が過ぎると、いいことが起こります。

寒さにうち震えた者にしか、暖かさのありがたみを実感できないのと同じように、「人生の危機」を経験した後は、幸せに対する感度が高まります。

幸福感に包まれることが確実に増えるのです。

また、嵐の後の方が、穏やかな晴れの日のありがたさをより強く実感できるようになるのと同じように、幸福に関する実感値も確実に上がっていきます。

堅い木は折れやすい

私自身が今まで実際に接してきた人たちを見ていても、そして、カウンセラーという仕事を通じて、たくさんの人たちの話を聞いてきた経験からも言えるのですが、タクミ君のような堅い木のタイプは、意外と挫折しやすいです。

②のタイプ（I am OK, You are not OK.）は、自分自身を過信する傾向があります。

また、他人にＯＫを出せないということは、他人を信用できないということにもつながります。その結果、友達や親、先生やスクールカウンセラーなど周囲の人たちに相談するなど、他人に頼ることを嫌います。

それだけではありません。②のタイプの人の中には、他人に頼ったり、サポートを求めることを「恥」さらには「負け」とみなしていたり、人に頼ることによって、周囲からの評価を下げてしまうと思い込んでいる人すらいます。

その結果、何でも一人で抱え込んでしまうのです。

これはメンタル上、最も危険な「孤立」という状態です。

もともと、②のタイプは、すべてにおいて理想を実現しなくてはならないという過度のプレッシャーを自分にかけ続け、自分を追い込みます。

しかも、チャレンジする過程において、必ず失敗やミスが起こってしまう現実を、なかなか受け入れることができません。

このように、常に理想と完璧を求める姿勢に加え、体力に自信のある人は、特に要注意です。プライドの高さと健康に関する過信から、がんばりすぎて無理をしてしまい、メンタルの不調を重症化させてしまうことすらあるのです。

体の丈夫さとメンタルの強さは一致しません。体力に対する過信からメンタル不調を悪化させてしまうケースは、堅い木が折れやすい典型と言えます。

以前、あるドラマの中で、宮﨑あおいさんが演じるミカン栽培をしている女性が、優しく穏やかな口調でこんなことを言っていました。

「山におみかんの木ありましたやろ?なかには立派なものもあれば細いのもあります。立派なのはええおみかんも出来る。そやけど天気が悪なって海からひどい風が吹いたとき最初に折れてしまうのは、その頑丈そうな立派な木いなんや。逆に細い木のほうが風にあおられても、ふらーふらーってして、嵐の後もまた実いつけてくれたりする」

(NHK連続テレビ小説『あさが来た』第125回・脚本　大森美香)

この台詞は、嵐のような厳しい局面(これこそがまさに「人生の危機」です)に遭遇したとき、堅い木が意外なほど弱いこと、その一方で、柳の枝のようなしなやかな木が意外としぶといことを示唆しています。

目指すは「鋼のような心」でなく「しなやかな柳の枝のような心」

私は「堅い木」つまりストレスを真正面から受けながらも、それをものともせず跳ね返すような「鋼のような心（メンタルマッチョ）」を目指すことをおすすめしません。

鋼のような心が無理なら、ストレスから逃れたいと思う人も多いでしょうが、現代社会に生きる私たちは残念ながらストレスから逃れることはできません。

この現実を受け止めずに、何としてもストレスを取り除こうとか、ストレスから逃げようと躍起になっていると、自分でコントロールできないことに時間と意識とエネルギーを使うことになってしまいます。このように、無理なことに挑戦し続けていると、新たなストレスが生まれてしまいます。

どうせなくすことができないのなら、ストレスを上手に受け流す術（すべ）を身につけた方がよいのではないかと私は考えています。ストレスを飄々（ひょうひょう）とかわすような「しなやかな柳の枝のような心」を私はおすすめします。

堅い木とは、無理をしている状態です。それは、苦手な人や状況に対して過度に身構えたり、肩肘をはったり、背伸びしたり、虚勢をはったり、変に強がったりしているようなもの。

一方、柳の枝は、無理をしていない状態です。長所も短所もすべて受け入れて、ありのままの等身大の自分にOKを出せています。自分らしく自然体のまま、人や状況に接することができている状態です。

今後の人生に嵐のような局面が訪れることがなく、吹いても微風か涼しいそよ風程度であるならば、堅い木でいることが一番の得策です。

しかし、今までは比較的、順風満帆で、様々な場面で親をはじめとした周囲の大人たちの期待に応え続けてきた人であっても、人生「第一の危機」では、幼い頃と比べ、確実に嵐のような辛い局面が増えます。しかも、幼い頃には、想像することさえできなかった種類の嵐に見舞われることもあるのです。

自分の力ではコントロールできない青天の霹靂（へきれき）のような突発的な出来事が連続して起こることもあります。

いつまでも真正面からその衝撃を受けていると、いつか心が折れてしまうかもしれません。

ガラ
わっ

アヤカ
どうしたの!?
出がけに
ママと
ケンカして…

行って
らっしゃい、
がんばっ
てね！

ピタ

ママ
残酷だよ
これ以上
プレッシャー
かけないで！

えっ、
そんなつもりじゃ…
最近いろんな
ことがうまく
いかなくて落ち込む
ことばっかり…
ママは毎日アヤカを
間近で見ててがんばってる
こと知ってるはずなのに
今よりもっとがんばれって
言うの？
無神経すぎるよ！

…っていうこと
があって…
ボク、アヤカの
気持ちわかる
ボクも毎日母親に
「がんばってね」って
送り出されるけど
「今のあなたは
まだまだがんばりが足りない」って
ダメ出しされてるみたいで気が沈む
へー、色々だな。
オレは
「がんばれよ」って
言われても
「お前もな」くらいにしか
思わねーけどなー
……
……
ナナ
行ってらっしゃい。
今日もがんばってね！
うん、
ありがとう！
行ってきまーす！
がんばってって
言われたら、私は純粋に
励まされてる気持ちに
なれてすごく嬉しいけどな。
私がヘンなのかな？

レジリエンス（私たちにもともと備わっている「心の自然治癒力」）を高める

２０２０年のセンター試験では、国語の第一問目で「レジリエンス」がテーマとなり、「レジリエンス」という言葉の認知度が急上昇しました。

それでも、「レジリエンス」という言葉は初耳という人が多いと思いますので、まずは、用語の説明を簡単にさせていただきます。

「レジリエンス（resilience）」は、私たちがよく知っている「ストレス（stress）」と切り離せない関係にありますので、セットで説明していきます。

「レジリエンス」も「ストレス」も、もともとは物理学用語だったものです。それがその後、心理学用語として使われるようになりました。

物理学用語としての「ストレス」は「外圧による歪み」という意味です。

それに対し「レジリエンス」は「その歪みを跳ね返す力」という意味です。

心理学用語としてのレジリエンスは「精神的回復力」「復元力」「心の弾力性」などと訳されることが多いのですが、簡単に言うと「凹んだ心を元に戻す力」のことです。最近ではもう一歩踏み込んで「目の前の逆境やトラブルを乗り越えたり、強いストレスに対処することができる精神力」と定義されることも多くなりました。

私の研修や講演では「**心の自然治癒力**」と表現しています。

様々なマイナスの出来事によって私たちの心は削られます。その削られ、ダメージを受けた心を修復して、もとの正常な状態に戻す力が「レジリエンス」なのです。

この「レジリエンス」は、やり方次第で、高めることができます。

そのコツは、「思考」と「行動」にあります。

コントロール可能な「思考」か「行動」をプラス方向に変えることによって、間接的に「気分や感情」もプラス方向に変えることができ、その結果としてレジリエンス（心の自然治癒力）が高まることとなるのです。

漫画のように「がんばってね」という全く同じ声かけをされても、落ち込む人もいれば、なんとも感じない人もいれば、元気になれる人もいます。

61ページの野良猫の例でもご紹介したとおり、解釈の違いが、感情に影響を与えている実例です。全く同じ状況に遭遇しても、解釈によって、感情は正反対の反応を示すことすらあるのです。

この後、第3章と第4章では、性格を構成する3要素が連動するという特徴を上手に活用しながら、レジリエンスという「心の自然治癒力」を高めるための具体的な方法を紹介していきます。これは、自分にも他人にもＯＫが出せるようになる方法でもありますし、もちろん、それが生きづらさの解消にも直結します。

頭の中で考えたことが実際の行動に移されます。そういった意味で、思考は行動の前提とも言えます。ですから、第3章では、まず私たちの「思考」を扱います。具体的には、**レジリエンスを高めるために、「知っておいてほしいこと」**をご紹介します。

思考は行動の前提とは言え、やはり何と言っても現実を変えてくれるのは「行動」しかありません。第4章では、**レジリエンスを高めるために、「ぜひ実行してほしいこと」**を、身近な例を挙げながら、ご紹介していきます。

この「思考」と「行動」という両輪の上に、「気分や感情」が乗っていきます。これらの3要素をプラスの方向に走らせていきましょう。

レジリエンスを高めることで、これから、たくさん遭遇することになるであろう様々なトラブルにも柔軟に対応できるようになります。

レジリエンスを高め、何かと困難が多い10代を颯爽とかけぬけましょう。

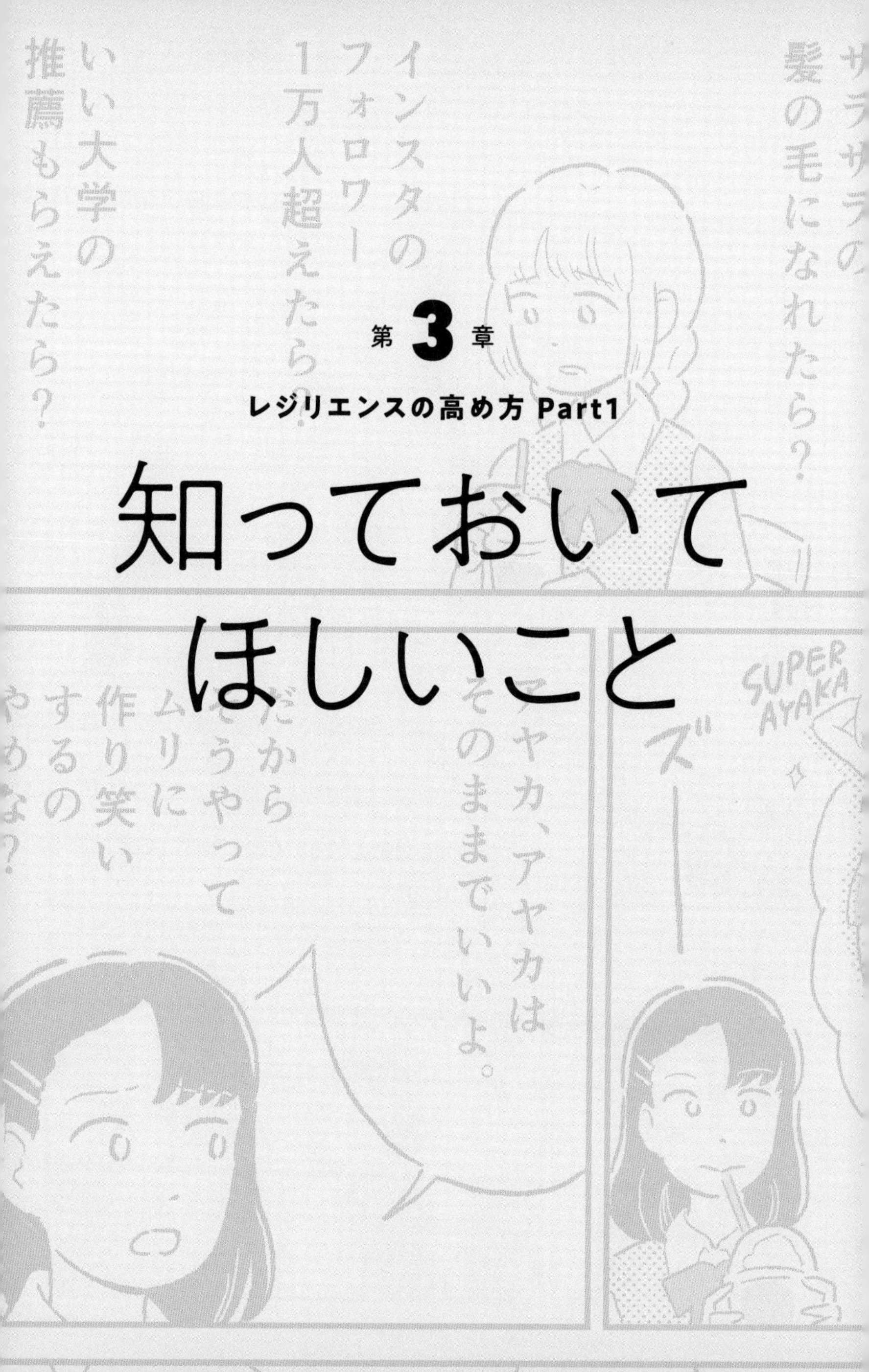

第3章

レジリエンスの高め方 Part1

知っておいてほしいこと

ねえ見て！
ジャラッ
オリジナル缶バッジ作ってみたの！
NECO

わー、かわいい！これナナちゃんが作ったの？
うん、私がデザインしたんだ！班のみんなにあげるよー！
結束力強化の意味を込めて

わーっ、ありがとう嬉しい！　みんなでおそろいだね！

ふーん
オレの趣味じゃないけど…せっかくだからもらっとくわ
も〜素直じゃないなあ
よかったらカバンとかにつけてみてよ

……

帰宅後…

うーん
ふふ…

せっかく作ってくれたから何かお返ししたいな…

ハンカチとか？キモいか…

あんまり負担にならないもので…お菓子とか？女子って何が好きなんだろ…

チュンチュン…

えっ、もう朝!?

寝てない…

ハルトくーん、起きなさーい！

きょ…今日は休む…

あれ、ハルトは？

今日休みみたいだよ
えっ
昨日〝結束力強化！〟とか言ってムリヤリバッジ渡したの、ウザかったのかな…私のせいかも…

人それぞれ

エリック・バーンは、私たちの考え方のクセ、つまり性格を構成する3要素のひとつである「思考」のことを「**人生脚本**」と呼びました。もちろん、この思考には、前述の「Life position」（→35ページ）も含まれますので、人生脚本の内容や傾向は「自分と他人に対する4つの立場」と強い関連性があります。

人生脚本とは「自分はこういう人間であり、他人や社会とはこういう性質のものであり、自分の人生や人間関係は今後、こんなふうになっていくだろうという**人生の予言書**」のようなものです。とても恐ろしいことに、自己暗示効果を備えていますので、人生脚本に書かれた通りの人生を歩むことになってしまいます。このことは、32、33ページの漫画「オアシスの老人」を読み返していただければわかると思います。

私は前章で、実体をつかめなければ性格は変えられないと書きました。その性格の一部を構成する人生脚本の存在とその傾向を知らなければ、思考のクセは変えられません。

ですから、もう一度、40ページの判定表を見て、自分は4つのうち、どの考え方が強いのか、その傾向を再確認してみてください。

人は、それぞれ異なる人生脚本（考え方のクセ）を持っています。それを構成する代表例として、「価値観」「常識」「フツーや当たり前の基準」が挙げられます。

それらを「正しい」とか「正しくない」とかと判断するのではなく、まずは人それぞれが異なる脚本（独自の基準）を持っているという事実を知ることが大切です。

この人生脚本は、「生きてきた時代」、そして「本人の生い立ち（生まれ育った環境や接してきた人たち）」の影響を強く受けます。だから、年代によって価値観や常識に違いがありますし、同級生であっても、何がフツーで何が当たり前なのか、その基準が異なるのです。

親や年配の先生に「○○が常識でしょ！」と言われたり、クラスメートが「○○がフツーだよね」と言っているのを聞いて、「えっ！そうなの？私は違うと思うけど」と疑問に感じたことってありますよね。

「We are OK. We are all excellent.」（→42ページ）のところでも説明しましたが、私たちは、皆それぞれが特別な存在です。人それぞれ舞台は違いますが、みんながそれぞれの舞台で主人公なのです。ですから、みんな違う人生脚本を持っています。

それなのに**多くの人たちが、脚本は自分のものしか存在せず、その脚本が全国共通、万人に共通だと思い込んでいて、**これが衝突やイライラの原因になっているのです。

自分の考え方や基準を双方が固持(こじ)したり押しつけ合ったりすれば、摩擦が生まれます。解決や仲直りの糸口は見つからず、対立が深まり、決裂や絶交へと進んでしまいます。

そういった人間関係のトラブルを解決するためにも、できるだけ多くの人たちが「You are OK.」の考え方ができるようになることが理想です。

ただひとつ注意していただきたいのは、「You are OK.」という考え方をしましょうというのは、無条件で他人を信用しましょうという意味ではありません。

そこまで範囲を広げてしまうことは危険です。世の中には残念ながら悪い人もたくさんいて、そういう人たちを無条件に信用してしまうと、だまされたり、つけ込まれたりしてしまいます。

この考え方は、範囲を狭めて、もっと身近な人に当てはめてみてください。

今後、親や先生、友達やクラスメートと、意見や考え方が対立して腹が立ったり、ちょっとした行き違いで傷ついてしまったり、誤解が生じて悲しい気分になってしまったときには、相手には相手の価値基準があるんだということを思い出していただきたいのです。

正しい、正しくないの判断が私たちを生きづらくする

繰り返しますが、正しい、正しくないの判断は、いったん脇に置いて、それぞれが違った人生脚本を持っているということを、まず知っておいてください。

自分の価値基準を絶対視したり、万人に共通するものだと思い込むことは、こりかたまった一方通行の考え方です。その本人だけでなく、その人と接する周囲の人たちまで、息苦しさを感じてしまいます。

人それぞれ価値観は異なります。何を大事にするかの優先順位だって違って当たり前です。誰かを中心に地球が回っているわけではありません（特に若い頃は、自分を中心に地球が回っていると思いがちですが……）。

直木賞作家の志茂田景樹さんをご存じでしょうか。カナリアみたいなカラフルな格好をしたおじさまです。志茂田さんはＳＮＳでこのように発信されています。

「たとえば自分が入院したことを知って、ある友はすぐ駆けつけ、ある友は数日経って見舞いに訪れ、ある友はメールでまず見舞い、病状が落ち着いた頃、顔を見せる。友情の厚い薄いではない。人それぞれに友情の表しようが違うだけに過ぎない。それを誤解すると、いい友を失うことがある。」（２０１３年11月18日　志茂田景樹 @kagekineko　より）

たとえ親友であっても、それぞれに違う価値観や優先順位があることを忘れてはいけません。

みんなが違う考え方（思考）や独自の表現方法（行動）を持っています。それは「正しい」とか「正しくない」とかではありません。その違いを、事実として受け止めましょう。

このことを知っているだけで、私たちの気持ちに幅と奥行きが生まれます。また、他人にＯＫを出せている自分にもＯＫが出せるようになるはずです。

もちろん友達の対応を腹立たしく感じたり、他人との常識のズレに困惑してしまったりする場面は今後何度も訪れます。当たり散らしたくなることもあるでしょう。誰かのせいにしたくなることもあるはずです。

でも、なるべく多くの場面で、この「人それぞれ」という考え方を取り入れましょう。

そして心がザワザワし始めてしまったときには、この考え方を思い出してみてください。心穏やかでいられる場面が、確実に増えていくはずです。

生きづらさを感じる場面は多々あります。それは大人になっても、残念ながら変わることはありません。

出来事は変えることはできませんが、そのとらえ方（思考）を変えることはできます。そして、そのとらえ方を変えれば、3要素の連動性によって、心のざわつき（気分や感情）が解消されたり、軽減されたりするはずです。

冒頭の漫画にもありましたが、喜び方をはじめとした感情表現は人それぞれ異なります。

すぐに喜びが爆発する人もいれば、後になってからジワジワと喜びをかみしめる人もいます。

正直に喜びを表現してくれる人もいれば、その喜びが、あんまり表情や態度にあらわれない人もいます。本当は嬉しいのに、照れ隠しでネガティブな発言をする人さえいるのです。

表面的な対応に一喜一憂することなく、人それぞれなんだということを知っておくことが、心の安定や平穏につながるのです。

対話の時間「目標について」
今日のテーマは「目標」か…
親や先生は
早い時期から目標を
持てって言うけど、
みんなはちゃんとした
目標ってある？

目標…っていうか
夢みたいなもの
昔はあったけど、
中学受験に失敗して
全部吹っ飛んじゃった…
今は何に対しても
興味も自信もない。
未来のことなんて
何も考えられない…
ボクは。

でもハルト君は
最近自分のことを
ちゃんと表現できる
ようになってきた
じゃん。
それって
すごいと
思うよ！
私は
インテリア
コーディネーターに
なりたいって思って
たんだけど、親に言ったら
即否定されちゃった…

「専門学校はお金がかかるし
あんたにはそんな才能ないわよ。
変な冒険心なんて抱かないで
安定した道を選びなさい」
…だって。
それ以来
なんか自分
のこと正直に
話すの、恐くなって
きちゃって。
ナナちゃんは?
私は親からは
好きにしていいって
言われてる

でもまだ決まってない…
デザインが好きだから
それを仕事にして
みたいし、
ファッションにも
興味あるから
スタイリストさんにも
憧れるし…いずれにせよ
自分らしくいられる
仕事がいいなあ
とは思うけど

あっ
アニメーターも
いいよね!
決められ
ないな〜!
わはー
夢いっぱい
だな
オレには
昔っから
壮大な
目標が
あるけど、
教えて
やんない。
フフン
ああ
そう…

目標ってなきゃいけないの？

「ある」のと「ない」のとでは、どっちがいいかの二者択一で訊かれたら、確固とした目標はあった方がいいでしょう。それによって生活にハリが生まれます。

でも、10代の頃は、私は目標なんかなくてもいいと思っています。

あと、10代の頃って、感受性が強くて、発想も柔軟な時期なので、目標がコロコロと変わったりしがちですが、私はそれが当然だと思っています（大人たちはコロコロ変わることに関して、極めて否定的だけれど……）。

ただ、目的はあった方がいいです。

「ん？」と思った人が多いと思います。

まず、**「目的」と「目標」の違い**を説明します。

目的は英語にすると「goal（ゴール）」です。

「死ぬときまでには、こんなふうになっていたい」とか「一生涯を通じて、こんなことを大切にしていきたい」など、自分が進むべき方向性のようなものです。

漫画の中でナナさんが「自分らしく」と発言していましたが、あれがまさに目的です。

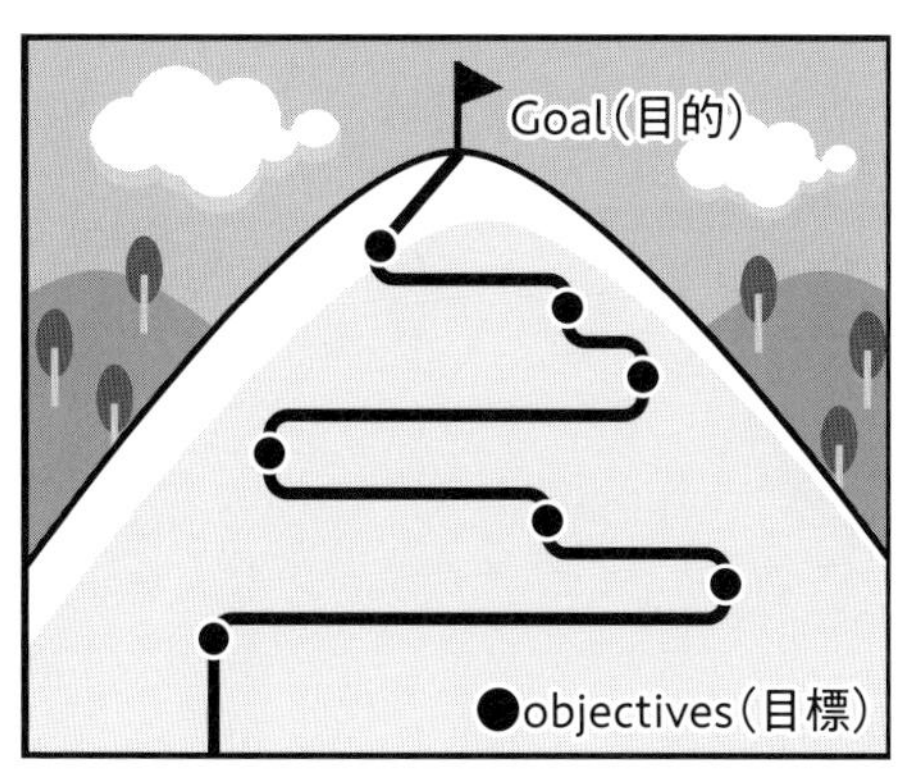

私が中高生時代、不良っぽい生徒が、よく「ビッグになりたい」と公言していたものですが、それもまさに目的と言えるでしょう。

このように、目的とは、漠然としていて、抽象的なものが多いです。

それに対して、目標は英語にすると「objectives（オブジェクティブズ）」です。目的であるゴールまでの道のりに点在するマイルストーン（中間目標地点）のようなものです。

よく人生はマラソンにたとえられるので、マラソンで説明します。

マラソンは、長くて起伏に富んだコースを走ります。ランナーは、まずあの曲がり角まで、そこを通過したら、次はあの黄色いビルまで、そこを通過したら、次はあの橋の手前までなど、ランナーそれぞれが目につく中間目標地点を定めて、少しずつ、少しずつ、がんばって走り続けます。

こんなふうに、ゴールに至る途中に設定する数々のマイルストーン（中間目標地点）が「objectives（オブジェクティブズ）」なのです。

目標は、目的とは異なり、「研究課題を自由に選べる学校（○○大学○○学部）に入りたい」「自分の能力を最大限にいかせる職業に就きたい（例えば、洋服をデザインする仕事）」など明確で具体的なものになります。

ちょっと難しい言い方かもしれませんが、目標とは目的を達成するための手段でもあります（後ほど具体例を挙げてわかりやすく説明しますので、今は、このまま読み進めちゃってください）。

目的は言い換えれば「**自分軸**」とも言えるものです。

何を一番大切にするか、これだけは絶対に譲れない、これは自分の人生において優先順位の一位になる、そういったものです。

目的は人生の目指すべき方向性です。これは、絶対にあった方がいいと思います。

冒頭でも私は「目的はあった方がいい」と言いましたが、正確には、「**目的を思い出してください**」と言った方がよかったかもしれません。

目的はあった方がいいと言うと、がんばって考えたり、どっかから借りてきたようなものを取ってつけたりする人が多いのですが、目的は、もともと自分の中にあるものです。それを掘り出す作業が必要です。

実は、性格にも、「資質」という核になる部分があり、これはもともと生まれつき備わっている部分なのですが、それと同様に目的は、自分の中にもともとあるものです。幼い頃から漠然と大切に抱きかかえてきたものなので、思い出したり、掘り出したりする作業が必要です。

自分の目的が何か、すぐに思いつく人もいるでしょうが、そうでない人は、常にどこか頭の片隅で、気にかけながら、今までどおり普通に過ごしてみてください。思いもよらぬときに、自分の内なる声が聞こえる瞬間が訪れ、「ああ、これだ！」というものが思い浮かぶはずです。

これだけは、誰に何と言われようが、絶対に曲げたくはないと抱き続けてきた信念やずっと大事に守り続けてきた熱い思いのようなものです。ですから、基本的にコロコロ変わるものではありません。

一方で目標は、**二転三転するのが普通です。**

いろんな人と出会い、いろんな体験をして、そこから、たくさんの刺激と影響を受け、何度も何度も形を変えていくことが多いです。

例えば、「たくさんの人たちの笑顔に囲まれた人生を送りたい」という目的があったとします。

そのために中高生の頃は、目標のひとつとして、なるべく早く結婚をして、まず家族を持ちたいと思う人もいるでしょう。

でも、その後、いろんな情報や人に触れ、世界各国を転々としながら救援活動をするような仕事に就くことになり、仮に結婚をしなかったとしても、「たくさんの人たちの笑顔に囲まれた人生を送る」という目的を達成することはできているのです。

このように、目標とは目的を達成するための手段なので、様々な事情により、変わっても何も問題ありません。

私の知る限りでは、中高生のときの目標を、そのまま大人になっても持ち続けている人は少数派だと思います。限られた情報と体験から導き出された中高生時代の目標は、たいてい変わります。それはよくも悪くもない、幸でも不幸でもない。ただただ自然なことなんです。

目的さえ明確であれば、目標は自然とハッキリした形になっていきます。しかも、ほとんどのケースで、どうせ目標は形を変えていきます。

だから、今は別に目標がなかったとしても、大丈夫です。

いつも輝いてなきゃいけないの？

思い描いていた学校生活とは違う、理想の自分とはかけ離れているなど、リア充ではない自分に、なかなかＯＫが出せない人は多いと思います。

特に10代は向上心はあるんだけれど、気が散ってしまうことが多く、なかなか物事に集中できなかったり、具体的な行動が伴わなかったりなど、いわゆる空回りしやすく、気持ちばかりが焦ってしまう時期です。

ただ、ひとつ知っておいてほしいことがあります。

今がゴールではありません。

皆さんも、最近あちこちで見聞きしていると思いますが、これから「人生１００年時代」が到来すると言われています。

具体的には、１９９2年以降に生まれた人は、世界平均で１００歳まで生きられると予測されています。日本人は、さらに3歳プラスされて、平均で１０３歳まで生きられると予測されているのです。

中高生は徒競走やマラソンで言えば、スタート地点にも立っていない、まだ準備運動で体を温めているような段階です。そして、飛行機のフライトで言えば、離陸前にエンジン等の整備や点検をしているような段階です。

だから仮に今、充実した楽しい時間を過ごせていなかったとしても、何も心配はいりません。ぜんぜん大丈夫。

私が皆さんと同じ年齢の頃、人生で最も楽しくて充実した時期は、学生時代でした。

私たちの時代は「会社＝墓場」と言ってもいいくらいに、会社員生活は悲惨でした。サービス残業は当たり前、有給休暇は取れず、セクハラ、パワハラなどのハラスメントも当たり前といった劣悪な労働環境のもと、馬車馬のように働かされ、自分の自由時間は学生時代と比較すると激減しました（人によっては皆無でした）。

学生時代が最も楽しく、華やかで、自由を謳歌できました。まさに、人生のピークだったのです。就職した途端に、幸福度も自由度も急降下してしまったものです。

だから、昭和の固定観念に支配されている大人たちの中には、いまだに「遊んでいられるのは学生のうちだけだから、学生のうちにたくさん遊んでおけ」と言う人がいますが、もう、時代は完全に変わりました。

働き方改革によって、多くの企業で職場環境の改善が急速に進んでいます。

そんな今の時代、人生の本番は、つまり本当の意味で輝き始めるのは、働き始めてからだと思います。

とても残念なことに、13～14ページで紹介した昭和時代の悪しき風習が、実は学校生活では、まだまだたくさん残っていると多くの中高生から聞いています。

でも、ちゃんとした会社に就職すれば、そのような悪しき風習に遭遇してしまうことは、まずありえません。

学校より、はるかに権利が保障されていますし、福利厚生も充実しています。

例えば、今の時代、会社は定時で帰れるようになりました。土日休みに加えて、有給休暇も取れます。

学生時代に塾や部活、その他の習い事で大忙しだった人は、むしろ働き始めてからの方が、自由時間が増えるのではないでしょうか。

そして何より、バイトより多くの安定した収入が得られるようになります。

自分でかせいだお金を気兼ねなく使うことができるんです。

経済的な自立によって、住む場所、活動エリア、食べ物や飲み物、服装、髪型、持ち物やアクセサリー、趣味、買い物、遊び方、友達や恋人などなど、何から何まで、親からの制約なしに自分の意志で自由に選ぶことができるようになるのです。

一人暮らしができるようになれば、シャワーを出しっ放しにしたって、ベッドの中で寝転がりながら食事をしたって誰にもなんにも言われません。

特に地方から都市部に就職すれば、可能性は格段に広がります。

地方では、趣味や習い事に関して専門的に学ぶ場所が少ないけれど、都市部にはそれらが無数にあります。

人気絶頂のアーティストのライブも平日の定時退社後に見に行くことができるのです。

これから、すぐ定年が70歳を超える時代を迎えます。

高校、高専、専門学校、短大、大学、大学院、どこを卒業してから働き始めるかによって、若干年数に違いは出てきますが、会社に就職した人は50年くらいは働くことになります。人生で気力体力ともに最も充実した時期に、最も多くの時間を費やすのが職場です。

だったら、就職するにしろ、自分で仕事を始めるにしろ、自分の目的に合った好きなことを仕事にした方が絶対にいいです。それだけで、かなり幸せが約束されます。

私は会社勤めをやめてから、ずっと目的に合った好きなことを仕事にし続けることができています。それでも、仕事が嫌になることがあるんです。

だから嫌いなことを仕事にしてしまったら、もうそれだけで、不幸の始まりです。

しかも、その後、どんどん幸せ度とか楽しさとか充実度が急降下してしまうことになるでしょう。

もし今しょぼい人生を送っていたとしても、どんな会社に就職するか、または、どんな職業に就くかで、今後の人生を大逆転することが可能です。

だったら、準備期間である今を多少は犠牲にしてしまっても、より時代に即した働きやすい会社に就職できるように、そして、より自分の目的に合った理想の職に就けるように、健全な心と体づくりに励みながら、勉強や資格取得、その他のスキルアップなど、自分磨きに時間を使うことが大切です。

元陸上長距離選手で今はスポーツジャーナリストとしてご活躍中の増田明美さんは、インタビューの中で、こんなことを話しています。

「体力は木の根っこ。そこから意欲という幹が出て、エネルギーが勉強やスポーツや芸術などの枝葉に向かう。体力をつけるには、いっぱい食べて好きな運動をし、よく眠る。同時に、心も健康に育てることが大切です。

どんなにお金があっても社会的地位が高くても、健康でないと生活の質は高まりません。

マラソンは長いけど、人生はもっと長い。心と体の健康を大切に育ててほしい」

（山梨日日新聞社／共同通信社　２０２０年5月18日㈪の記事より一部引用）

どんな家庭に生まれるかによって最初から人生には差があるのは事実です。

私たちは親を選ぶこともできません。

でも、自分の価値を高めることによって、職業は自由に選べますし、それによって自分の未来を大きく変えることができるのです。

10代の頃は、あまり輝いていなくても、成人してからまぶしいくらいに輝く人たちを私はたくさん見てきました。

今の時代、人生を大逆転させるカギは、「どんな会社に就職するか」または「どんな職に就くか」にあると思います。

「何も咲かない寒い日は、下へ下へと根を伸ばせ。やがて大きな花が咲く」という名言があります。

仮に今、自分の人生が全く理想とかけ離れていても、ぜんぜん大丈夫です。

まだまだ準備期間ですから。

まずは、自分を大切にして、輝かしい未来に備えてください。
そのために、今、何ができるのかを考えましょう。

おはよ〜
タクミも
今日から登校？
コホ
コホ
おう
3日ぶりの登校だよ
…ったく休んだ分
取り戻さなくっちゃ

ナナちゃん
大丈夫!?

うん、もう平気
心配
したよ〜
ボ…
ボクも
心配
したよ
ボソ
ボソ
ありがとう！

へっ
オマエも
オレも
たるんで
るんだよ

自己管理
できてない
証拠だ
タクミは
いつも
厳しいね

でも、こんなこと言ったら怒られちゃうかもしれないけど体調崩してよかったと思うこともあるんだ
最近ずっと忙しかったから、久しぶりにゆっくりできたし
みんなからたくさんLINEもらって友達の大切さ実感したし
大丈夫？
ゆっくり休んでね
ママにも久しぶりにゆっくり甘えられたし…
迷惑かけちゃったけど
そして健康の大切さも痛感したから、タクミの言う通りこれからはちゃんと自己管理しよう…
一方タクミは…
気合足りねーぞダッシュあと20本！
キャプテン病み上がりじゃなかったっけ？
いきなりあんな飛ばして大丈夫かな…
翌日
あれタクミは？
カゼぶり返したんだって…
病み上がりなのにムリするから…

転んでもただでは起きない

人は完璧ではありません。

気分にはムラがありますし、どんなに気をつけていても、ミスをしてしまうものです。

また、不幸にも病気やケガをしてしまうことだってあります。

落ち込んでいる暇もないくらいに、全く予期せぬハプニングが連続して起こることもあります。

もし、最近、失敗やくじけたりすることが多いのであれば、それは、あなたががんばっている証拠かもしれません。

薬の作用と副作用の関係に似ていますが、私たちは行動すればするほど、失敗や挫折を多く経験することになります。

私たちは、何度も何度も、たくさん転んで歩けるようになりました。

そして、自転車に乗れるようになるまでも、何度も何度も転んで、痛い思い、悔しい思い、恥ずかしい思いをしたはずです。

それと同じように、人生も転べば転ぶほど、上手に、そして楽しく進むことができるようになります。

もし、あなたが今がんばっているのなら、そして、何かに挑戦し続けているのであれば、転んでばかりだと思います。転んでもいいのです。むしろ、たくさん転びましょう。

でも、転んでもただで起きたらもったいないです。

がんばっている皆さんに知っておいてほしいことがあります。

それは、**「すべての出来事には肯定的な側面がある」**という考え方です。

これは、すべての出来事をポジティブに解釈しましょうという意味ではありません。

どんなネガティブな出来事であっても、どこかに必ず救いがあります。それを最低でも一つは見つける習慣を身につけましょうという意味です。

繰り返しますが、転んでも、ただでは起きないという発想です。

例えば、冒頭の漫画にあったように、体調を崩してしまうことは、ネガティブな出来事です。でも、現実問題として、私たち人間は、病気にもなります。ただ、病気になってしまった以上は、そこにポジティブな側面を見つけないともったいないです。

ちょっとカゼをひいただけでも、私たちは改めて健康の大切さを痛感すると思います。

もちろん、これに気づけたことは、病気の肯定的な側面のひとつになります。

病気をすると、家族や友達や恋人が優しくしてくれます。人のありがたさ、優しさ、温かさ、そして愛情を実感する絶好の機会になるはずです。

そして、病気を、自分の生活習慣を見直すキッカケにするのもいいでしょう。せっかくの機会なので、病気になる前より、さらに元気に、そして、もっと健康になってしまおうという発想です。

その他にも、失恋で傷つき、前に進めなくなっている人もいると思います。

恋人を失ってしまった喪失感は、なかなか癒えないけれど、そこからも何かプラスの側面を見つけましょう。

失った恋ではありますが、恋をしたことによって、得たもの、恋愛を通じて出会えたことが、たくさんあったはずです。

私の例ですが、一人だったら行ってみようなんて思いもしなかった場所なのに、彼女が行きたいと言ってくれたおかげで、一緒に行くことができました。

ただただ、彼女の笑顔がうれしくて、その笑顔に励まされて、いろんなことにいつもよりがんばれました。

彼女と私には違う好みもたくさんあって、例えば、彼女のおかげで食べ物の食わず嫌いが克服できたり、彼女のすすめでいろんな本に巡り会えて、いろんな映画を観ることができました。

一緒に、たくさん笑って、たくさん泣いて、美味しいものをたくさん食べて、綺麗な景色に感動して……。彼女と一緒にいるといつもと同じ景色が違って見えて、いつもと同じ食べ物が美味しかった。

ちょっとしたことで焼きもちを焼いたり、しばらく会えない日が続くと、それだけで切ない気分になってしまったり……。恋愛をしていなかったら抱けなかった感情を、たくさん体験することができました。

生身の人間の心に触れることは大変で面倒くさいという部分もあるけれど、それ以上に得られるものが多かったのです。

私たちの心には、もともと立ち直る力が備わっています。それがレジリエンス（心の自然治癒力）です。

考え方ひとつで立ち直るまでの時間を短くすることができます。そして、転んでも起きあがるたびに、転ぶ前より、たくましくなっている自分に気づくはずです。

世の中には無駄な経験も無駄な時間もありません。失敗や挫折も、人生を彩り、豊かにしてくれるものであり、あなたを強くしてくれるものなのです。

転んでもただでは起きない習慣を身につけて、失敗や挫折も含めて、ぜひ今を楽しんでください。

何事にもプラスとマイナスの側面がある

「You are not OK.（他者否定）」の考え方をもとに、まず人を疑ってかかるようにすれば、私たちは誰かにだまされたり、裏切られたり、傷つけられたりすることを減らすことができたり、未然に防げたりするでしょう。それによって、失敗の少ない、安定した人生を送れるかもしれません。

ただ、**「不幸ではない＝幸せ」という図式は成立しません。**

「You are not OK.」の考え方を持ち、人間関係において慎重な姿勢を貫くことによって、嫌な体験は減り、不幸に感じる機会は少なくなるかもしれません。

でも、その一方で、慎重になりすぎると出会いのチャンスを逃してしまいます。それは、喜びの少ない人生でもあります。

また、愛する人や大切な人を疑ってばかりの人生は、たぶん苦しい人生でもあるでしょう。

たしかに、人は人によって傷つきます。これは事実です。

でも、**人は人によって、救われもします。**これも事実です。

傷つく方ばかり（マイナスの側面）を心配して、プラスの側面である素晴らしい出会いの可能性を逃してしまうのは、もったいないと思います。

この第3章の目的は、**ネガティブな人生脚本（思考）をポジティブなもの、または、より合理的なものへと書き換えていくことです。**

少しでも自分や他人にOKが出せる場面を増やせるようになれば、人生にハッピーなことが増える、私はそう信じています。

『トム・ソーヤーの冒険』の著者として有名なマーク・トウェインの名言を紹介します。

「今から20年後、あなたはやったことよりもやらなかったことを後悔することになるだろう。今こそ、安全な港から旅立て。冒険するのだ」

私たちの中には、「勇敢な自分」と「へたれの自分」が同居しています。

何かに挑むときや重大な決断を前にすると、たいてい「へたれの自分」が顔を出し、尻込みしてしまいます。

そんなときこそ、プラスの側面にも、目を向けてみてください。

きっと「勇敢な自分」があらわれ、あなたの背中をそっと押してくれるはずです。

ザワ
ザワ

85点…
ナナちゃんは？

私82点…
や…

やったね～
アヤカ！
二人とも80点越え!!
すごいよ！
がんばった
甲斐があったねー！

今回の数学の範囲
二人とも苦手だったから、
いっぱい勉強
したもんね…！
この関数の式
どうやって
求めるのかな
ナナちゃん
わかる？
全然
わかんない…
一時は追試も
覚悟したもんね…
努力が報われたね～！

お祝いにカフェでスイーツ食べよ！
いいねー！
どうだった？
んーと
なに食べよ〜
私90点！ヤマが当たったよ、ラッキーだったわ〜
オレ88点…もっとイケたと思ってたからショックだわ〜
ちぇっ！タクミは？
98点。ノー勉だったけど、まあ得意分野だったし。
ケアレスミスなければ満点いけてたな〜
ひゃ〜さすが数学いつも学年トップ！
すご〜い
ところで…
なんか二人して大喜びしてたけど何点だったの？
……
……
サッ
サッ
82
85

比較が私たちを苦しめる

私たちを苦しめている考え方（モノの見方）の代表格は「劣等比較」、つまり**自分より優れている人との比較**です。

成長の過程、しかもその成長が著しい思春期は、この劣等比較の傾向が強くなる時期でもあります。

ここだけは絶対に譲れないという分野に関して、自分より優れている人と比較をして「自分に足りないもの」を補ったり、「自分の欠点」を改善していくことは、とても大切なことです。

しかし、何でもかんでも手当たり次第に比較をするとなると、事情が変わってきます。見境（みさかい）なく、誰かと競争したり、張り合ったりすることからは、少し距離を置くことが大切です。

こんなことは、誰でも、うすうす気づいているとは思います。

でも、いくら理屈ではわかっていても、いざ現実を目の前にすると、全く無意識のうちに比較をしてしまうのは、私たち人間の悲しい性（さが）と言えるでしょう。

以下のストーリーに感情移入して、主人公になったつもりで読んでみてください。

今は、ちょうど新学年が始まった4月です。

あなたの家族に、とても嬉しいことが起こりました。

最近ちょっとお腹が出てきて、薄くなった髪の毛をやたらと気にし始めている父親ですが、会社での信頼度は高いようで、同期入社の中で、一番早く課長に昇進しました。

これを機に、今住んでいる古くて狭い社宅を出て、3LDKの新築マンションに引っ越しをすることになりました。これからは、兄弟姉妹と共有ではない、自分だけの部屋もあるんです。

家族全員が、ここまで嬉しさのテンションが上がり、幸せな気分になれたのは、本当に久しぶりのことです。いつもは遅刻ギリギリですが、今日は珍しく早めに登校して、新しいクラスの友達に、ちょっとだけ自慢しちゃおうと思っています。

ところが、学校に着くと、イケイケ派閥のリーダー格の女子生徒が、すでに登校しているクラスメートたちの前で、派手な身振り手振りを交えながら、大声で自慢していたのです。

「ねー、ちょっとみんな聞いて。私の父親は、IT企業の経営者なの。私たち家族はタ

ワーマンションの最上階に住んでいるんだけど、広いルーフバルコニーからは、東京が一望できるのよ。バーベキューだって、できるんだから」

そう言うと、スマホの待ち受け画面を見せつけられました。

自慢のルーフバルコニーで撮影したのでしょうか。そこには、東京の夜景をバックに、テレビのCMに出てくる俳優のようなスラッとした体型の両親に挟まれた彼女とお姉さんらしき人物が、みんなそろって満面の笑みを浮かべていたのです。

今までのウキウキした気分は、突然逆転し、自分の幸せが、何だかすごくちっぽけなものに思えてきませんか。場合によっては、惨め

な気分になってしまう人だっているかもしれません。

これが比較の恐ろしさなのです。

親や先生からも、よく言われていると思います。**「人は人、自分は自分」**です。

やはり、ここでも**目的という自分軸が大切な基準**になります。

絶対に譲れない自分が戦うべき分野をハッキリさせるなど、自分自身の基準を明確にして、それ以外に関しては、他人との比較に目を奪われないようにすることが大切です。

冒頭の漫画のように、自分の苦手分野と相手の得意分野を比べてしまったら、負けてしまったとしても仕方がありません。

今回は、がんばった自分をほめてあげましょう。

こんなときこそ、他人のことはいったん、脇に置いて、自分にOKを出すことが大事です。

だいたい考えてもみてください。

世の人たちは、ほとんどのケースで、幸せのピークを切り取ってSNSに投稿したり、自慢したりしているわけですから、そこを比較しても勝ち目はありません。

しかも、私たちは他人の表面的な華やかさにのみ、目を奪われてしまいがちです。

しかし、あなたがうらやましく思っている相手、ちょっと嫉妬してしまっている相手が、実のところ裏でどんな苦労をして、どんな苦悩を抱えているかなんて、つまり、その華やかさの裏側に隠れた部分を、私たち他人はうかがい知ることはできません。

例えば、さきほどのタワマン女子生徒だって、父親の仕事が忙しすぎて家族全員がそろう機会が年に数回しかなかったり、家庭内のルールが厳しすぎて家での居心地が悪かったり、親が意外とケチだったり、お金持ちにはお金持ち特有の悩みがあったりするものです。

特に注意すべき比較は、以下の2点です。

①仲のよい友達との比較

よきライバルとしてお互いを高め合うことは、とても素晴らしいことですが、過剰に敵対心をむき出しにすると、人間関係にも悪影響を及ぼしてしまいます。

仲のよい友達ですら、比較することによって、突然、憎らしい存在に感じてしまうことすらあります。大切な友情にヒビが入ってしまう恐れすらあるのです。

②幸せ度や充実度など明確な基準のないものの比較

これこそ私たちが一番してしまいがちな比較であり、私たちを最も不幸にしてしまう考え方のクセです。

幸せ度や充実度は数値化できるものではなく、ただ単に感覚的なものばかりです。

しかも、幸せ度や充実度を比較してしまっているときは、たいてい頭に血がのぼっていて、正常な判断ができていないことが多いです。

こんなときこそ、冷静になって、何としても、この手の比較とは一定の距離を保ってください。

どうしたら
自分のこと
好きになれる
のかな…

数学で100点
余裕で取れたら？
サラサラの
髪の毛になれたら？
誰とでも気軽に
話せるように
なれたら？
いい学校の
推薦もらえたら？

全部の条件が
クリアできたら
自分のこと好きに
なれるのかな…
SUPER AYAKA
キャー
ズー

ねー、アヤカ。アヤカは
そのままでいいよ。
だから
そうやって
ムリに
作り笑い
するの
やめな

あと昔から自分が
悪くないのに
「ごめんね」って
言うクセが
あるけど、
あれもやめた
方がいいよ
えー
ムリムリ、
絶対無理
その
ネガティブ
発言も禁止。
だって本当に
無理だし…

ぎゅっ
!?

…ね
手のひらって
温かいでしょ
…うん

じゃあそうやって
自分で自分のことも
ハグしてみて
自分の手の
ひらの
ぬくもりを
感じる…

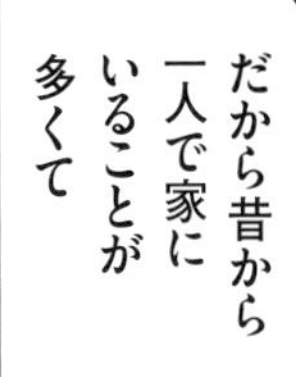
私の家
母子家庭
じゃん
だから昔から
一人で家に
いることが
多くて

時々こうやって
がんばってる自分を
抱きしめてあげるんだ
そうなの…

自分らしさとは

・非リアな現実から抜け出せない
・失敗やうまくいかないことが続いた
・劣等比較のクセをなかなか直せない
・他人からの評価を気にしすぎてしまう
・誰かからの心ないひと言が、ずっと頭から離れない
・努力が報われない
・理解してくれる人がいない

様々な理由から、自分になかなかＯＫを出せない人が多いと思います。

もちろん、私もそうでした。

今でもうまくいかないことが続いたりすれば、一時的に自分にＯＫが出せない日が続くこともあります。

もちろん、それはいけないことではありません。

この章の最後に、「**自分らしさ**」について考えてもらいたいと思います。

自分にOKを出すヒントになればと思い、私の飼っていた猫の話を書きます。

私は、いわゆる猫派の人間で、自宅では20匹の猫を飼っています。

以前、私がたまたま立ち寄ったペットショップで一目惚れをして衝動買いをしてしまったメスの三毛猫がいて、私はこの猫が12歳で死ぬまで、病的なまでに溺愛し続けました。

それは彼女が由緒正しき血統書付きのペルシャ猫だったからという理由ではありません。

実は、彼女はペットショップの売れ残りで、私が買ったときは生後6ヶ月以上もたっていたため、子猫ではなく成猫に近い大きさでした。

売れ残った理由は簡単です。ブスで極端に性格が悪かったから。

彼女は生まれてすぐに母親から引き離され、ペットショップのガラスケースの中に入れられてしまい、母親の愛情を充分に受けることができませんでした。そのせいか、彼女は思い切り性格が曲がっていました。

彼女は我が家に来てからも、人に懐くことはなく、いつも、どこか家の隅に身を置き、退屈そうに、人間と他の猫を傍観しているだけでした。

彼女には何ひとついいところはなかったのに、ダメな点を挙げたらキリがありません。

まず、猫なのにトイレは覚えませんでした。それどころか面倒くさくなると、どこでも用を足してしまい、しかもその後、事もあろうに、その上でゴロゴロしてしまうのです。

いつも全身から言葉で言い表せない変な臭いが漂っていました。

結局、彼女は死ぬまで、我が家の誰にも全くなつきませんでした。そのくせ、私が他の猫をかわいがると、焼きもちを焼いてその猫に八つ当たりをしました。

ペルシャ猫は大人しくて穏やかな性格だと、購入時にペットショップの店員さんには説明されていたのに、彼女は気性が荒くて、些細(ささい)なことに腹を立て、すぐ暴力に訴えました。

食い意地もはっていて、目を離すと、すぐ他の猫たちのご飯を食べ尽くしてしまうのです。だからブクブクに太っていました。寝返りもやっとっていうくらいに。

パソコンのキーボード、さらには私の大切な宝物である自著にまでオシッコをされたこともありました。

何が気に入らなかったのか今でも不明ですが、妻が大切にしているブランド物の服やバッグを食いちぎってしまったこともありました。

他にもダメな点を挙げたらキリがありませんので、もうこのへんでやめておきます。

まっ、簡単に言うと我が家の一番の問題児だったのです。

たいていの猫は「ツンデレ」ですが、彼女は生涯を通じて、「ツン」のみを貫き通しました。一切、甘えることもこびることもしなかったのです。

うちの家族は皆そろって、臭くて粗暴な彼女のことを嫌っていましたが、私は彼女のことが本当に大好きで、文字通り、猫かわいがりし続けました。

彼女に対する愛情は、12年間、一度も色あせることはありませんでした。

あなたは、あなたのままでいい。

というか、あなたのままがいい。

ときには（さすがに人間の場合は、いつもだと、ちょっと困るけど……）無条件に、そして何の根拠もなく、自分にOKを出してほしいのです。

あなたが親や先生の言うことをよく聞くいい子でなくても、勉強が得意でなくても、スポーツや楽器、歌やダンスが上手でなかったとしても、性格が悪くても、服のセンスが理解されなくても、粗野でずぼらな性格でも、きっと無条件であなたを理解してくれて、心から愛してくれる人が、いつか必ず現れるはずです。そう信じてほしい。

ただし、あなたが、あなたらしければの話ですが……。

ユダヤ教の律法学者であるラビ・ズーシャは、こんな名言を残しています。

天国へ行くと、神様は私に「どうして、モーゼ（神に愛された完璧な子）のようになれなかったのかね？」とは訊かず、「どうして自分自身になれなかったのかね？」とお尋ねになるだろう。

あなたがこの世に生まれてきたとき、あなたはたくさんの人たちに祝福されました。それは、あなたの存在そのものに価値があったからです。そして、あなたの存在そのものがたくさんの人たちを幸せにしてきました。その価値は、今でも光り輝いているはずです。

もちろん、自分にOKが出せない理由は無数に見つかります。

だから、いつも（always）じゃなくていいです。ときには（sometimes）でいいので、ハードルを思いっきり下げて、自分にOKを出してみましょう。

それによって一歩が踏み出せるのなら、根拠のない自信、おおいに結構です。だいたい根拠のない自信は若い人たちの特権です。使わない手はありません。

なるべくいろんな場面で、できれば常時、自分にOKが出せるようになりたいものです。

その具体的な方法は、さらに第4章で詳しく説明していきます。

でもその前に、ときどきでいいので、ありのままの自分にも（何も条件をつけず）OKを出していきましょうね。

そして、ときどき、がんばっている自分を抱きしめて、自分の手のひらの温(ぬく)もりを感じてみてください。

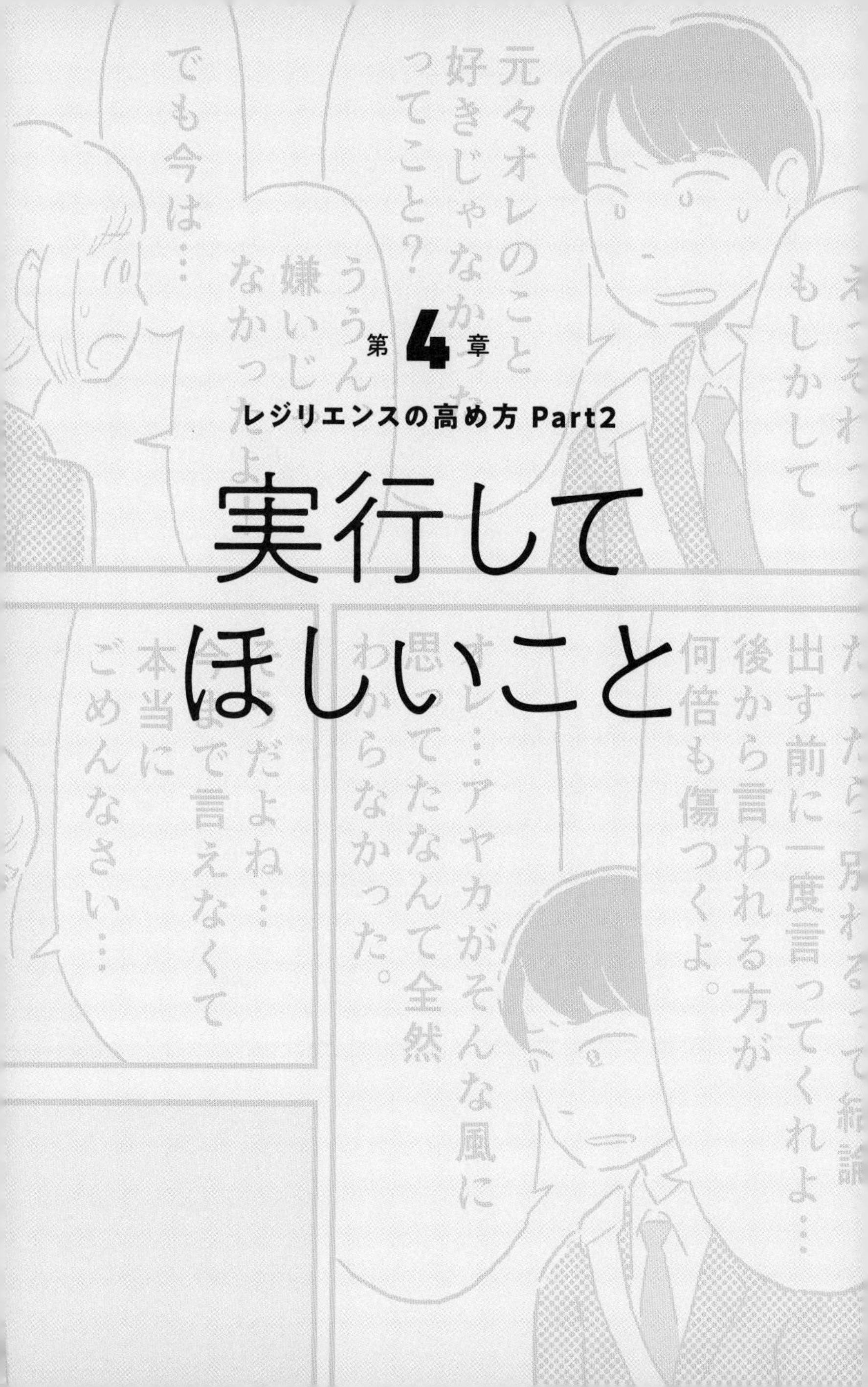

第4章

レジリエンスの高め方 Part2

実行してほしいこと

前章では、「**思考**」を扱いました。

思考をプラス方向に変えれば、性格を構成する3要素は連動しますので、結果的に気分や感情にもプラスの変化があらわれます。

また、思考は行動の前提になるものですから、まず最初に思考に対する働きかけをすることは、行動を起こすためのキッカケやいい刺激になるはずです。

本章では「**行動**」を扱います。

行動を起こすことによって初めて現状に変化が訪れます。言い換えれば、何か行動を起こさなければ、現状は変わりません。

ちょっとしたことでもいいのです。行動を変えることは、気分や感情の変化に即効性を発揮します。

例えば、服装や髪型、言葉づかいや持ち物を変えたり、いつもとは違う道や方法で通学したり、机周りの整理整頓や部屋の掃除をしただけでも、3要素は連動しますので、当然、気分や感情にもプラスの変化があらわれます。

前章では、まず「思考（考え方）」を変えることによって、気分を前向きに変えていきました。

気分が少しでも前向きになれば、小さな行動を起こすことができるようになります。それによって、自分にOKが出せる場面が、確実に増えていくはずです。それが、ますます積極的な行動へとつながっていきます。

私がカウンセリングをした人たちからも、実際に行動を変えたり（今までとは、やり方を変えたり）、何か新しい行動を起こしたりすること（新しいやり方を試すこと）によって、以下のような変化を実感することができたと聞いています。

- ・自分を取り巻く運気のようなものが好転している感じがしてきました。
- ・安心感とか自信に似たポジティブな感情に包まれるようになりました。
- ・もちろん感情の浮き沈みはあるのですが、その振れ幅が確実に緩（ゆる）やかになりました。

もし今、どん底でもがき苦しんでいる人がいたら、もちろんそうでない人も、本章で紹介する行動を何かひとつでもいいので試してみてください。

必ず希望の光が差し込む瞬間を実感できるはずです。

やる気ってどうしたら出るんだろう？
勉強しようと思ってもなにから手をつけたらいいかわからない
ENGLISH
先生に聞くこともなかなかできない
わからない…けど聞くのは恥ずかしい…
まあいいか…
見ているとナナはいつも明るくて活発だ
疑問点も曖昧にしないですぐ先生に質問してる
先生！ここの日本語訳がよくわからなくて…
あ〜ここはね…
ダンス部でも後輩から信頼されているようだ指示も明確だし、人の意見にもちゃんと耳を傾けている
ハイ！1、2、1、2
腕上がってないよー
ナナっていつもやる気に満ちている感じ。何か秘訣とかある？
う〜ん特に意識してることはないけど…
あっ、でも、やらなきゃいけないことはなるべくやり残さないようにしてるかな
積み残しが増えると気分だけじゃなく体まで重たくなっちゃうから。

それってまさに
今のボクの状態かも
やらなきゃいけない
ことが多すぎて
何から手をつければ
いいかわからないんだ
TODO LIST
そういうときは
「やること」を
ちゃんと書き出して
一つ一つ着実に
こなしていくといいよ。
それと
もうひとつ

思い切って、いつもとは違う
自分に出会えるような、
何か新しいことにチャレンジ
してみるのもおすすめだよ。
実は私のダンスも
無謀な挑戦だったんだ。
全然リズム感なかったんだけど
ダンス見てるだけでワクワクしてくる
から思い切って始めてみたの。
そしたら、
思った以上に楽しかった！
今すごく充実してるんだ。
ダンスは確実に
私の「やる気」の
源になってると思う

あっ、ごめん。なんか偉そうに
長々と語っちゃった
休憩
終わっちゃう
じゃね！
あ、うん

そんなことないよ…
すごく参考になった
ありがとう

やる気に満ちた日は1年に何回ありますか？

あらゆる物事において、いくら頭で理解していても、何らかの行動を起こさなければ状況は変わりません。

そんなことは誰でもわかっているはずなのに、私たちはなかなか重い腰を上げることができません。

なぜなら、私たちの行動を妨げる「めんどうくさい」とか「気乗りしない」という、とても厄介な気分や感情が、常に私たちにつきまとっているからです。

まずは、3要素の連動性を活用して、このマイナスの気分や感情を一掃する方法からご紹介しましょう。

「やる気（意欲や気力）」が「めんどうくさい」や「気乗りしない」という気分や感情に打ち勝てば、私たちは重い腰を上げることができます。

どうしたら、「やる気」に満ちた理想的な毎日を送ることができるのでしょうか。

この「やる気（意欲や気力）」を今から気球にたとえます。

この気球を空高く舞い上がらせるには、どうしたらいいでしょうか？

そのためには、気球に取り付けてあるバーナーを燃やす必要があります。

では、どうすればバーナーの火力を上げることができるのでしょうか。

実は、これ、そんなに難しいことではないんです。

適度のストレスがかかるような目標設定をすればいいのです。そうすれば、バーナーの火の勢いが増し、理論上は気球が空高く舞い上がっていきます（私たちのモチベーションが上がります）。

あこがれの高校や大学に進学したい、部活の大会で優勝したい、何かのコンクールで入賞したい、資格を取りたいなど、もうすでに明確で具体的な目標がある人もいるでしょう。

そこまではっきりしたものではなくても、少しでも難易度の高い学校に入りたい、将来は収入の安定した職業に就きたい、収入は少なくてもいいから時間に余裕のある生活を送りたいなど、漠然とした目標を持っている人も多いはずです。

また、前述のように、私たちの中には、もともと「目的」があります（↓97ページ）。この目的を思い出すだけでも、バーナーの火力は強まります。

このように、どんな人であっても、火力の強弱はあるものの、バーナーの火は燃えています。特に、すでに明確な目標を持っている人は、バーナーの火力も強いはずです。

それなのに、なぜ気球は上がらないのでしょうか。

言い換えれば、なぜ「やる気」は起きないのでしょうか。または、「やる気」にムラがあったり、一番「やる気」が起きてほしいときに「やる気」が起きてくれないのはなぜなのでしょうか。

気球を空高く舞い上げる

いくらバーナーの火を激しく燃やしても気球が上がらない（＝「やる気」が起きない）のは、一体なぜなのでしょうか。

それは、ゴンドラに砂袋を積んだままにしてあるからです。

砂袋を積んだままバーナーの火力を上げる行為は、自転車で言えば、ブレーキを握りながら、ペダルを踏んでいる状態です。

バーナーの火の勢いを増す前に、まず積み込んでいる砂袋をゴンドラから降ろさなければ、エネルギーの無駄になってしまいます。

それでは、砂袋の正体は何なのでしょう。

私たちは年齢とともに活動の場が広がります。それに伴い、「やらなければならないこと（または、やりたいこと）」や「解決しなければならないこと」も幼い頃と比べると、どんどん増えていきます。

この「**やらなければならないこと（または、やりたいこと）**」「**解決しなければならないこと**」が**砂袋の正体**です。

これらを未解決のまま放置しておくと、それが「**気がかり**」となって、知らず知らずのうちに、私たちのエネルギーを奪っていくのです。

中高生になると、今まででであれば親が決めてくれていたことであっても、自分で決めなくてはならなくなります。今まででであれば、周囲の大人たちが手伝ってくれていたことも、自分一人の力で解決しなくてはならなくなってきます。

幼い頃と同じ意識で行動してしまうと、知らず知らずのうちに、たくさんの砂袋を気球のゴンドラに所狭しと積み込んでしまうのです。

反対に意識をバージョンアップして、砂袋をためず、ちゃんと荷下ろしする作業をして、ゴンドラの重量を軽くすれば、仮に今は漠然とした目標しかなくて、バーナーの火力が弱かったとしても、気球を空高く舞い上げることができるのです。

最近、気分だけでなく、何だか体も重いように感じる。こんな症状が深刻化しているのは、たまりにたまった砂袋が原因になっているのかもしれません。

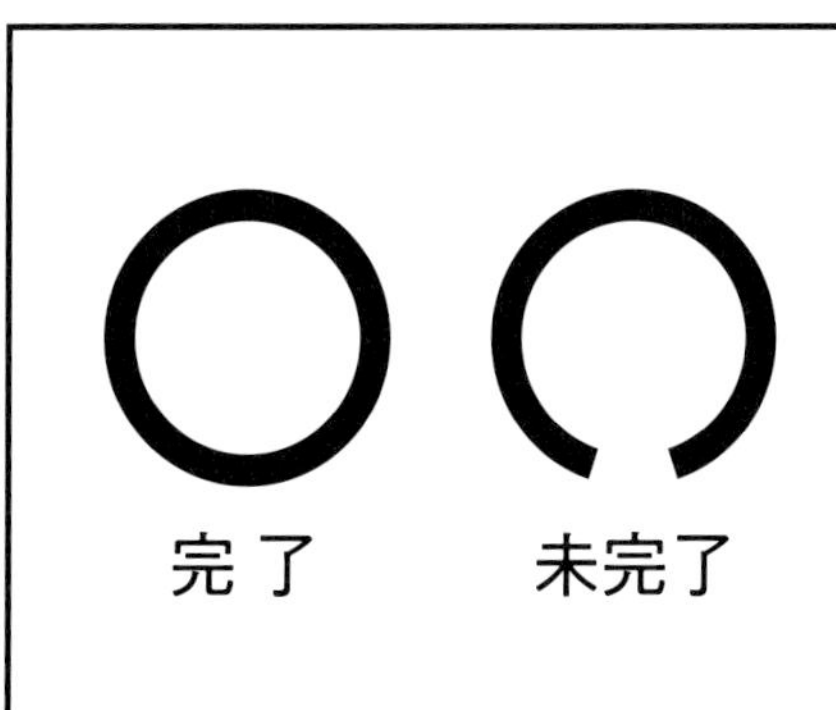

完了と未完了

それでは、さらに砂袋の中身を具体的に見ていきましょう。

その前に、まずは、図を見てください。

「くっついている丸」と「くっついていない丸」がありますが、どちらの方がスッキリしていますか？

もちろん、くっついている左側の丸の方がスッキリしていると思います。

左側のくっついている丸を「**完了**」、右側のくっついていない丸を「**未完了**」と呼びます。

もちろん「完了」と「未完了」は比喩的な表現です。

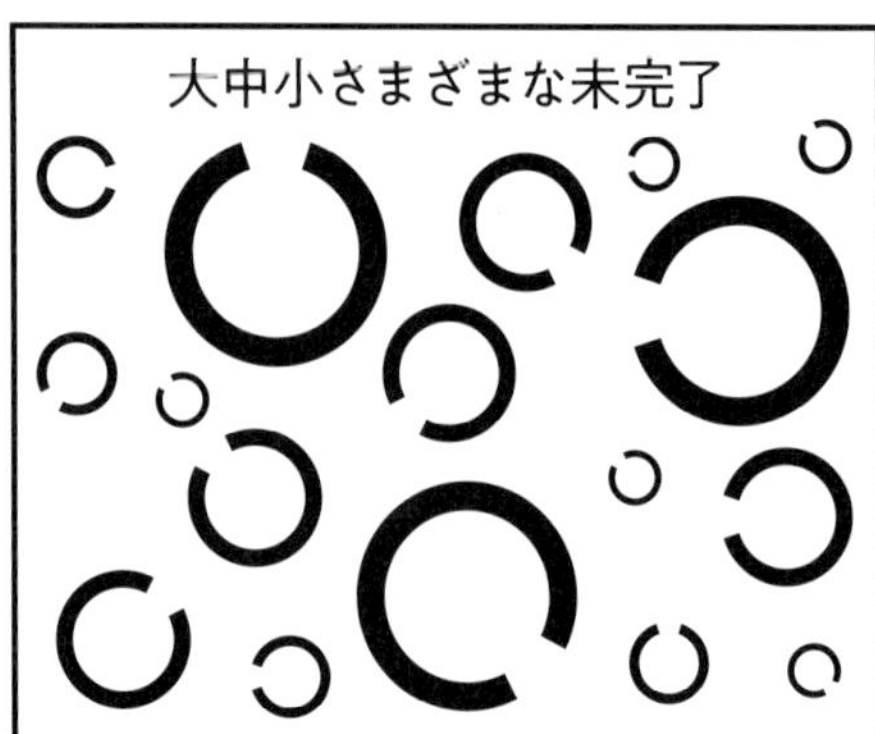

「完了」とは「すでに終わったもの」や「解決済みのもの」のことです。

一方、**「未完了」が砂袋の正体です。**

つまり「未解決事項」であり、具体的には「取り組んではいるものの、まだ終わっていないもの」、「全く手をつけていないもの」、「やりたいと思ってはいるものの、実際にはできていないこと」などになります。

完成や実現までに相当な時間と労力を要するもの（大）、そこそこ難易度の高いもの（中）、すぐに終わる簡単なもの（小）など、大中小と様々な未完了がありますが、生きている限り、この未完了がなくなることはありません。それどころか、今後、ますます未完了の数は増えていきます。

ほんの一部ではありますが、具体的なサン

プルを列挙しておきます。

①学校や塾
・宿題や課題
・作文やレポートの作成
・進路志望書やアンケートなどの提出

②人間関係
・メールやLINEの返信
・誰かとの仲直り
・ちゃんと言葉で要求したり、正直な思いを伝える

③健康
・生活習慣を改善したり、定期的な運動習慣を身につける
・歯科検診や慢性疾患の通院、治療
・メガネの作りかえ、コンタクトの買い換え

④その他
・新しいことへのチャレンジ

・スマホや自転車などの修理
・文房具等や必需品の補充

先生、親や兄弟、友達など他人がからむ未完了は、相手から催促されたりもするので、他の未完了に比べると強制力があります。

また、どこかが痛いとか自覚症状がハッキリしているケガや病気など、健康に関する未完了は、他の未完了と比べると、緊急度も重要度も高いものになります。

この二つの未完了に関しては、他の未完了と比べると優先度が高いので、はやく完了される傾向があります。

ところが、それ以外の未完了の中には、強制力も緊急度もないものがたくさんあります。

しかも、この類いの未完了は、完了しても、あまり達成感や爽快感は得られません。

また、些細なものであるが故に、その気になればいつでもできるという安心感と、ちょっと面倒な気持ちが相まって、「いつかそのうちに」という気持ちが先行し、常に最優先で後回しにされてしまうのです。

このように他人がからまない未完了は、そのほとんどが自己管理に委ねられ、放置されがちです。

場合によっては、日々の忙しさにまぎれ、いつしかその存在すら忘れられてしまうこともあります。

これが未完了の最も恐ろしいところなのです。知らず知らずのうちに、小さな未完了はどんどんたまっていきます。

確かにひとつひとつは、たいしたことがないかもしれません。

しかし、これこそまさに曲者（くせもの）で、何の危機感もなく放置されていくうちに、「**塵（ちり）も積もれば山となる**」となってしまうのです。

たまりにたまって、どうにもならなくなってしまった通信講座の提出課題がその典型と言えるでしょう。

もちろん未完了は放置しておいてもなくなることはありません。それどころか、次第に大きくなっていくものもあります。場合によっては、再び顕在化したときには、もう手に負えない状況にまで悪化してしまっていることすらあります。

違和感程度のごく初期の虫歯や親知らずが、その例として挙げられます。

また、次ページの図のように、未完了が増殖してしまうこともあります。

例えば、三者面談の日程を決めるために親と相談しなくてはならないのに、それを怠

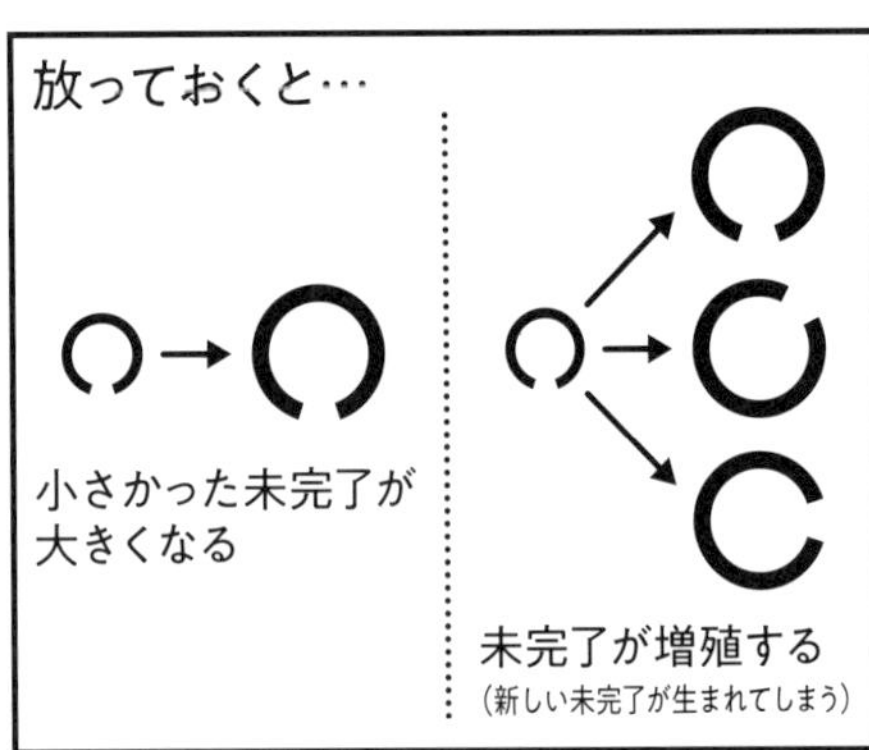

って放置していたら、どうなるでしょう。

先生から親に直接連絡が行ってしまい、双方から怒られてしまうことでしょう。こうなってしまったら、まず双方に謝罪をしたり、理由説明をしなくてはなりません。

しかも、親が希望する日程が、もうすべて埋まってしまっていたら、親に予定の調整をしてもらうか、先生に別の日を設定してもらうしかありません。

こんなふうに、いろんな人にたくさんの迷惑をかけてしまうことすらあるのです。

未完了を完了すればスッキリする

「何だかわからないけれど、やらなければならないことがたくさんある」

このような漠然とした状況に置かれると、私たちの精神状態は非常に不安定になります。気持ちは落ち着かずソワソワし、意味もなく焦りを感じることでしょう（気分や感情に対する悪影響）。

このような冷静さを失った状態では、思考回路も正常には働きません。気もそぞろで、集中力を発揮することもできません。本を読んでいたって、何も頭の中に入ってこないような状態です（思考に対する悪影響）。

もちろん、やる気やエネルギーも低下しますので、体は「**だるおも状態**」です（行動に対する悪影響）。

このように、**多すぎる未完了は、３要素のすべてに悪影響を及ぼします**。

極端な話ですが、「トイレを我慢しているとき」や「お腹が減っているとき」を想像してみてください。こんな未完了を抱えていたら、やる気もへったくれもありません。

まずは、トイレで用を足す、ご飯を食べるが先決です。

未完了という「気がかり」が解消されれば、身も心もスッキリします。

まず、心のモヤモヤや頭の混乱は解消され、冷静さを取り戻し、集中力も高まります。頭がクリアーになれば、発想力や創造力も高まりますので、クリエイティブな作業も進むようになります。体内にはエネルギーがみなぎり、不思議と体が軽くなるのです。

簡単で、すぐに終わるような小さな未完了からで構いません。

まず身近にある未完了をコツコツと完了することから始めましょう。これだけで確実に3要素のすべてによい効果があらわれます。

ちなみに中高生にとって、「大きな未完了（最大級の気がかり）」の代表例って何だかわかりますか？

答えは、「定期テスト」です。

定期テストは、中高生にとって最大の未完了の一つです。

例えば、学期末テストの最終科目が終わった瞬間の、あの解放感は、今すぐにでも思い出せるのではないでしょうか。

終了のチャイムが鳴って答案用紙が回収された瞬間に、自然と安堵の息がもれ、鉄の鎧が体から剥がれ落ちます。気分は晴れ晴れとして、休み期間中には、あれをしよう、これもしようという気になり、それを実現するためのアイデアも次から次へとわきあがってくるはずです。

私には、少々、厳しい側面があって、私のカウンセリングやコーチングを受けている人には、たいてい未完了を完了させる宿題を出します。

そして、次に会ったときには、話を聞かなくても、顔を見た瞬間に宿題をやってきたかどうかわかります。

未完了を完了した人（ちゃんと宿題をやってきた人）は、本人は気づいていないと思いますが、実に晴れ晴れとした表情で、私のもとにやってきます。

これこそ、未完了という砂袋をゴンドラから降ろし、気球の上昇力が一気に上がっている状態なのです。

まずは書き出す（リストアップ）

正体がわからないものに対して、私たちは対処のしようがありません。正体がわからないものと戦うことはできないのです。そして、この正体がわからないモヤモヤ感も、もちろん未完了のひとつになってしまいます。

この未完了に関しては、頭の中でゴチャゴチャ考えるのではなく、何はともあれ、まずは書き出すことから始めましょう。

順番など気にせず、思いつくものから、どんどん書き出します。

つき/ひ	やることリスト	チェック☑

memo

このリストアップという作業を意識し始めると、何かの拍子にふと未完了を思いついたり、忘れていた未完了を思い出したりする機会が確実に増えます。

もちろん、スマホのメモ入力やＬＩＮＥのＫｅｅｐメモなどでもＯＫですが、できれば常にメモやノートを持ち歩き、思いついたら、そのたびにすぐ書き加えていきましょう。

ひととおりの未完了が出尽くしたら、緊急度が高い順に並べかえを行います。

また、自分で取り組むこと以外に、家族の誰かに依頼できること、友達と一緒に行えるもの、その他の第三者に代行してもらえるものもありますので、それらも考慮に入れて、どのような順番で、どんなふうに取り組んでいくか計画を立てます。

この作業は、日頃の喧噪（けんそう）から解放されているときがベストです。なるべく集中できる静かな環境で行ってみてください。

古典的ではあるけれど、最終的には紙に手書きしたリストを作成し、それを机の周辺など一番目につく場所にはりだすことを強くおすすめします。

カテゴリー別に色の違うふせんに書いて、カレンダーの下にはっておくのもいいかもしれません。

こうすることによって、常時、一目で、瞬時に未完了を確認することができます。

そして自宅以外での確認方法として、メモの写しを持ち歩いてもいいですし、その手書きしたリストをスマホで撮影しておけば、外出先でも確認が可能です。もちろんスマホのアラーム機能などと併用すると、さらに効果は抜群です。

スマホのみで管理してしまうと入力しただけで、安心して忘れてしまったり、複数の場所に保管してしまうと、それが、抜けや漏れの原因にもなってしまいます。

ベースとなるリストは、ぜひ手書きで作成しましょう。

手書きは頭脳を刺激します。書くことによって、未完了がより記憶に定着してくれるはずです。

また、カテゴリー別に色わけするだけでなく、デザインにもこだわったリストを作成すれば、味気ない未完了リストにも愛着がわいて、さらに行動するのが楽しくなるはずです。

この作業は時間管理やスケジューリングの基本です。今のうちに身につけておけば、一生、役に立つものです。

あとは行動して、完了するのみ

リスト作成が終わったら、あとは平日の登下校の途中、帰宅後、休日などを中心に行動して完了するのみです。

実際に取り組んでみるとわかりますが、何かを買いそろえたり、用事をこなすような外出時には、一回分＋αの時間とエネルギーで複数の未完了を一気に完了することができます。計画を立て、リスト管理することによって、二度手間、三度手間を防ぐことができるのです。

例えば、図書館に本を返すために外出したついでに、図書館の近くにあるスポーツショップで部活用品の下見をして、帰る途中で、雑貨屋に寄って友達へのプレゼントの下見と文房具の購入をして、ついでなのでがんばって書店にも足を延ばして参考書を買い、最後は自宅近くのコンビニに寄って、お菓子を買って帰宅するといったように、一回の外出で効率よく、複数の物事をこなせるようになります。

反対に、リストで管理していないと、帰ってきてから急に思い出して、「あーっ、せっかく外出したんだから、部活用品の下見をしてくればよかった」とか「雑貨屋さんに行ったのに、消しゴムを買うのを忘れた！」みたいな後悔をすることが度々（たびたび）起こります。

実は、この「また、やっちまった！」みたいな「プチ自己嫌悪」も曲者で、コツコツと私たちの心を削り、自分にＯＫを出せない一因となっていくのです。

何事も初動に最もエネルギーを要します。

やることリスト

9月5日
- 塾の宿題(英語)
- オンライン授業を見る(英語と数学)
- 美容院(17:00)
- 塾の臨時個別指導(19:00〜)

TO DO LIST

- ~~数学の課題~~
- ~~英単語テストの対策~~
- 模試の復習(国語・英語)
- 進路希望書の提出
- ~~歯医者の予約~~

このことは、複数の人に直接、電話で連絡をする場面を思い出していただければわかると思います。

最初の一人目だけが気が重いだけで、誰か一人でも始めてしまえば、その後は、何でもっと早く始めなかったんだろうと感じてしまうほど、どんどん楽に進んでいくものです。

未完了を完了する作業は、簡単なものからで構いませんので、まずは動き出すことが肝心です。

一度動き出せば、必ず軌道に乗り始めます。動いているうちに、不思議とエネルギーがわいてきて、次から次へと未完了を完了させるために、アクティブに行動している自分に驚くはずです。

こういう小さな行動の積み重ねが、ちょっ

とした自信につながり、それによって、自分にOKを出せる機会が自然と増えていくのです。

生きている限り、未完了がなくなることはありません。

ですから、**定期的な更新作業も必要**です。

まずは、完了したものには、必ずチェックを入れましょう。

私は完了したものを赤の横棒線で消すようにしています。

もちろんレ点でも構いません。

そして、やり残してしまったものは繰り越しにして、定期的にリスト更新の作業を行いましょう。

毎日更新が必要な人、数日に一回でも大丈夫な人など、人それぞれ頻度は異なりますが、自分なりのペースでこのリスト更新作業も習慣化してみてください。

本章では、この後、行動に関して心の自然治癒力であるレジリエンスを高める具体的な方法を紹介していきますが、この未完了を完了する作業は、この後、紹介する内容と並行して行うことができます。

未完了を完了する作業は、第４章全体の基礎となるものでもありますので、ぜひ他の項目と同時進行で取り組んでみてください。

中高生になると、課題や宿題の量が増えます。

ようやく課題や宿題が終わったと思ったら、また新しい課題や宿題がやってきます。それだったら、まだマシかもしれません。今取り組んでいる課題や宿題が終わらないうちに、新しい課題や宿題が降り注いでくることだってあるでしょう。しかも、その課題や宿題は、簡単になることはありません。ますます、難易度が上がっていくはずです。

これらに対処するためには、未完了に関する意識をバージョンアップすることが大事です。いつまでも、今までと同じ感覚で行動していると、積み残しが増えて、どんどん未完了がたまっていってしまいます。

一方で、これまで説明してきた一連の作業を始めた人の多くが「更新作業をしていると、意外と多くの未完了を完了していて、本当に驚きました」と言います。

このように未完了の数が確実に減っていることが確認できると、自己肯定感や自己信頼感が増すのを実感できるようになります。

これが、さらなる「やる気」へとつながっていくのです。

未完了を完了する作業は、行動の中でも最も即効性があります。

ぜひ、この後すぐ取り組んでみてください。

ブツブツ…
ブツブツ…

なにそれ？
何かの台本？
わっ
あ、えーと

うん、
実は前に
ナナと話してから
やりたいこと
色々考えてて…
こないだから
町の演劇サークルに
参加してるんだ…
3ケ月後に
公演もあるんだよ
第35回公演
台本

主催は50代の
大企業の
部長さん、
最年長は60代で
ボクは最年少。
わりと
みんなから
可愛がら
れてて…
役ももらえて、
今練習してる
ところなんだ
もっと腹から
声出して！
あ・え・い・う
え・お
あ・お
その調子！

え〜っ
すっごく意外！
新しいこと
始めたんだね！

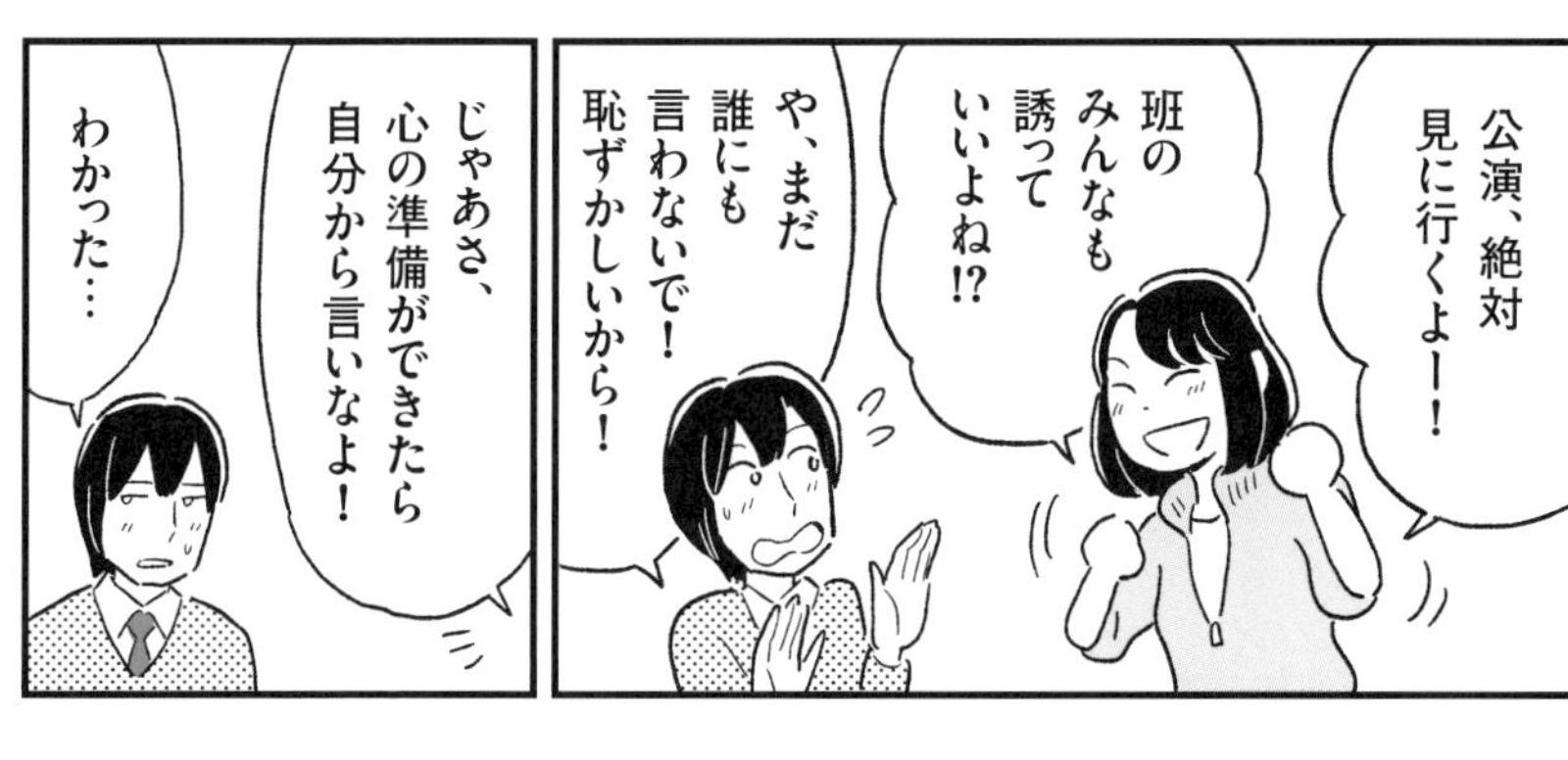
公演、絶対見に行くよー！
班のみんなも誘っていいよね!?
や、まだ誰にも言わないで！恥ずかしいから！
じゃあさ、心の準備ができたら自分から言いなよ！
わかった…

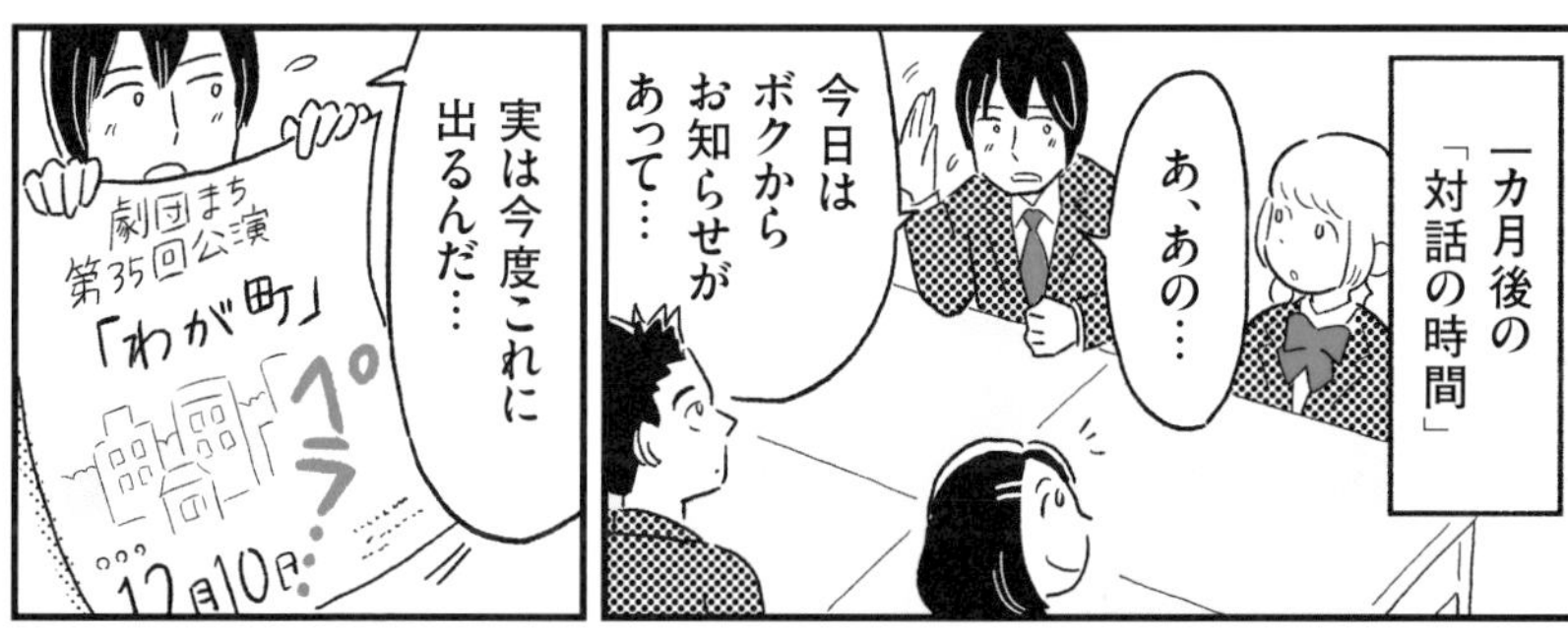
一カ月後の「対話の時間」
あ、あの…
今日はボクからお知らせがあって…
実は今度これに出るんだ…
劇団まち第35回公演
「わが町」
12月10日

え〜っまじかよ！お前演劇なんてやってたんだ、すごいな！
わー！どこでやるの？私も見に行っていい？
ズイ
ズイ

ていうかタクミくんがそうやって人のことほめるの珍しいね！成長したじゃん
ムッ

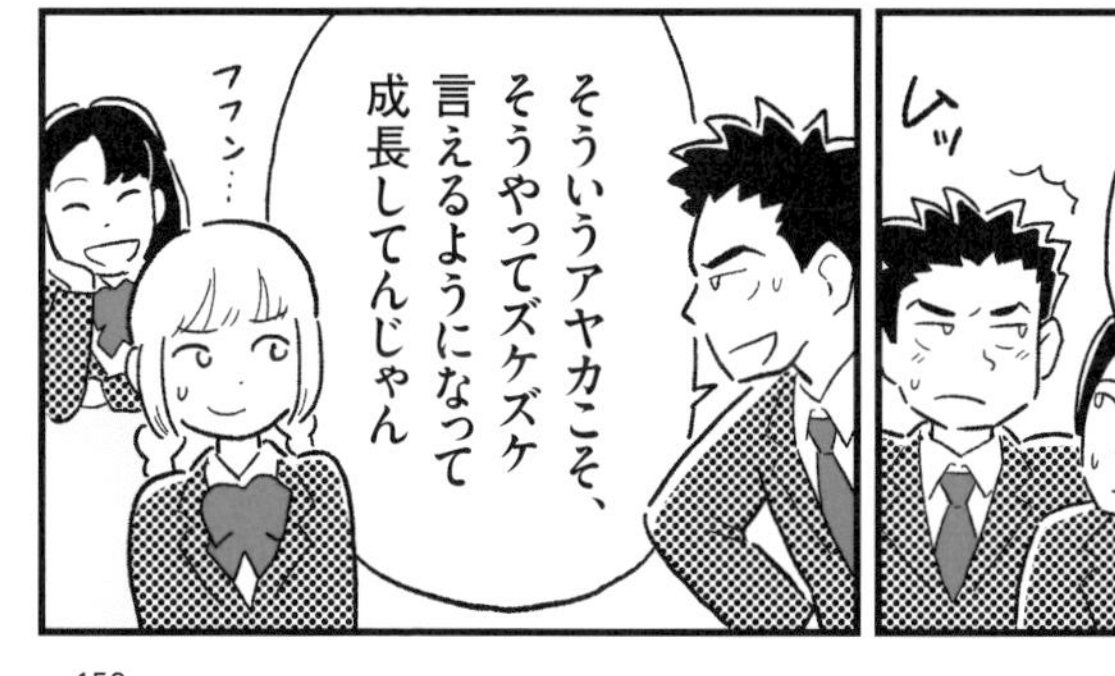
そういうアヤカこそ、そうやってズケズケ言えるようになって成長してんじゃん
フフン…

サードプレイス（第三の居場所）を見つける

人間は社会的動物であり、パートナーを見つけ、お互いが支え合ったり、グループを作り、協力し合ったりすることによって生き延び、そして繁栄（はんえい）してきた生き物です。実際に、皆さんも、家族、学校、塾、部活動、習い事、バイトなど、同時にいくつものグループに属していて、そこで人と関わり、時に役割を分担し、協力し合いながら暮らしているはずです。

人は、何らかの集団や組織に所属することによって安心感が生まれ、その安心感が私たちの行動を後押ししてくれます。

反対に属する集団や組織がなかったり、または、その属している集団や組織が安心できる場所ではなかったりすると、私たちは腰を据えて、じっくり物事に取り組めなくなってしまいます。

私たちが属する集団や組織は、「**居場所**」と言い換えることができます。

私たちにとって、心のよりどころとも言える安心できる居場所は本当に大切です。

その居場所を増やすという観点に立ち、「**サードプレイス**」という言葉をご紹介します。

私たちには三つの「場所」が必要だと言われています。

第一の場所である「ファーストプレイス」は自宅です。第二の場所となる「セカンドプレイス」は、学校になります（ちなみに大人にとっての「セカンドプレイス」は、会社などの職場です）。

そして、第三の場所が「サードプレイス」となるわけです。

サードプレイスを詳しく説明する前に、ファーストプレイスの自宅とセカンドプレイスの学校を確認しておきましょう。

まずは、ファーストプレイスの自宅からです。

子供に対する支配欲が強かったり、しつけ等に厳しかったりする親もいるはずです。もし、そうであれば、自宅はくつろげる場所ではなくなってしまいます。

そこまでいかなくても、親はいくつになっても子供のことが心配です。そして、いつまでも子供扱いするものです。だから、自然と口うるさくなってしまいます。

一方で、反抗期を迎えていることが多い皆さんからすれば、そんな親をうざく感じてしまうのも当然です。時には激しくぶつかり合うこともあるでしょう。

しかも前述のように（↓70ページ）双方が人生の危機に直面しているわけですから、それでなくても双方がイライラ、カリカリしていて、衝突が多くなる時期です。

だいたい、ある程度の年頃になれば、親との確執やわだかまりのない人の方が珍しいと思います。

しかも、夫婦は一般的には倦怠期に突入する時期です。いつまでもラブラブの夫婦なんて、残念ながら、そうそういません。夫婦でディスり合っている家庭であれば、それを見ているのも嫌でしょう。

兄弟姉妹との仲が悪い人だっているはずです。もちろん家族全員が仲よしなのは理想だけれども、兄弟姉妹だから仲がよくて当然というのも誤った思い込みです。

また、再婚家庭も珍しくない時代です。そこには、恐らく微妙な空気が流れていますし、接し方のバランスも含め、気をつかうことが多くなるはずです。

このようにファーストプレイスであり、最も基盤となるはずの自宅が、特に思春期は、意外と居心地が悪かったり、くつろげなかったりもします。

それでは、セカンドプレイスの学校では、どうでしょう。

同い年の人たちが複数集まったら、お互いを意識しない方がおかしいです。

人は、どうしても比較してしまいますので、牽制し合ったり、虚勢を張り合ったり、背伸びし合ったりなど、自然と対抗意識を燃やしてしまいがちです。

複数の同級生が一堂に会(かい)するわけですから、いけすかない同級生もいるのが普通です。

何を言っても、何をしても、ネガティブにしか受け取らない人が近くにいれば、嫌な思いをする機会が増えてしまいます。粗暴な性格の人がいれば、近くを通るたびにドキッとするかもしれません。

友達との関係では、属するグループに応じて、そのグループ内で浮かないように、気をつかうことも多いはずです。

これまた当然のことですが、異性も含まれるグループであれば、キャラ設定も異なってきます。これもまた意外と疲れるものです。

もし学校で、素(す)の自分のまま、遠慮なく自由奔放(ほんぽう)に振る舞えば、周囲から疎(うと)まれたり、煙たがられてしまうことにもなりかねません。

先生との関係でも気をつかいます。内申書や成績にも響きますので、将来のことを考えると、先生の前では、よい生徒を演じなければならないことも多いはずです。

また、私自身も経験していますし、いまだに多くの中高生からも聞くのですが、偉そうなことばかり言っているわりに、自分は何もできていない説得力のない先生もいますよね。

そんな先生が運悪く担任になってしまったら、その1年間は、毎日が苦痛に感じられてしまうことでしょう。

このように、自宅や学校は、意外と居心地が悪かったりするものです。

サードプレイスは、様々なプレッシャーから解放される場所

「サードプレイス」とは、アメリカの社会学者、オルデンバーグが提唱した概念です。オルデンバーグは、生活に欠かせない自宅（ファーストプレイス）や学校（セカンドプレイス）という「二つの場所」に加え、「様々なプレッシャーから解放され、創造的な交流が発生する場」として第三番目の場所「サードプレイス」が必要であると言っています。

そして、この「サードプレイス」の特徴を「**インフォーマル**で**パブリック**な集いの場」と表現しています。

「**インフォーマル**」とは、堅苦しくない、または形式ばっていないという意味です。つまり、「インフォーマルな場所」とは、素の自分に戻れる場所であり、最も自分らしくいられる場所ということになります。

インフォーマルな場所であるサードプレイスとは、演じている自分から解放され、自

然体でいられ、自分本来の姿に戻れる場所とも言えます。

そのためには、**誰からも強制されず、自分の意志で参加できる場所**であること、そして**対等な関係を形成できる場所**であることもその条件となります。

そして、「**パブリック**」とは、一人ではなく他者との交わりが発生するという意味です。

これは、大人数である必要はありません。小集団でももちろんOKですし、ごく親しい人との個人的なつながりでもOKです。ですから、長いつき合いのある親友や幼なじみとの二人きりの秘密結社みたいな組織でも構いません（笑）。

もちろん、ハルト君が参加している演劇サークルのように、**様々な立場と年代の人たちが集う場所は、より理想的なサードプレイスと言えます。**

人は人によって癒やされます。サードプレイスが、新しい出会いを提供してくれる場所であれば、それが最も理想的と言えるでしょう。

たった一人でいいから、味方になってくれる人がいれば、

たった一人でいいから理解してくれる人がいれば、

たった一人でいいから自分のことを必要としてくれる人がいれば、

私たちは決して孤独ではありません。

確かに、友達は多い方がいいかもしれないけれど、**友達の多さと幸福度が比例するわ**

けではありません。たった一人でいいんです。それだけで充分です。

そして、その一人がいれば、勇気を持って、一歩が踏み出せるようになります。

これは96ページで説明した「目的」とも一致することですが、サードプレイス探しは、自分の心に素直に従うことが大事です。

好きなことにこだわってください。別に得意である必要はありません。下手でいいんです。

もしかしたら、親からは向いていないと言われるかもしれません。友達からは、ださいと笑われてしまうかもしれません。

でも、そんなこと、一切関係ないんです。自分が本当にやりたいことを見つけ、そこを居場所にすることが心の健康には非常に大事です。

サードプレイスでは、変に背伸びしたキャラを設定する必要はありません。

素のまま、ありのままでいいんです。

変に気をつかわなくてもいい。それでいて居心地がいい場所です。

本来の自分でいることによって、歓迎される場所です。飾らずにいることによって輝ける場所でもあるのです。

ＳＮＳやネット検索でサードプレイスの候補を探すことも可能ですが、それに加えて、市民ホールや公民館、図書館など、公共の場所に置いてあったり、掲示板にはってある募集のチラシなどにもアンテナをはってみてください。

サードプレイスから得られる副産物

サードプレイスは、単なる「息抜きや気晴らしの場」や「趣味の集まり」にとどまらず、多くの副産物を手にすることができます。

サードプレイスは、立場も年齢も異なる人たちが集まる場、つまり、様々な年代、様々な背景を持った多種多様な人たちが集まる場所です。必然的に情報交換の場にもなりますので、何かに煮詰まったときには、いいアイデアやひらめきが生まれ、道が開けるキッカケになります。これは、良書に出会う以上の効果と価値があります。

また、自宅や学校では得られない、様々な刺激が得られますので、自分自身を高められる場所でもあるのです。

自宅や学校ではできないような経験ができ、その経験に基づく知識も増えます。それが、あなたの幅、奥行き、両方を大きく広げてくれることになるでしょう。

仮面を外した素の自分に戻っただけでも、緊張から解放されリラックスした状態になれます。しかも、それに加え、好きなことに没頭できるということは、初心や童心に戻れるということでもあり、それはこの上ないリフレッシュの機会にもなります。

リフレッシュして気持ちを新たにすることによって、英気を養う（充電する）こともできます。それは、今後の活力になるはずです。

また、新しいことに積極的にチャレンジすることによって、そんな自分に対して、OKを出せる機会がより一層増えることになります。

そして、帰属意識による安心感の高まりが、私たちの「やる気」をさらに後押ししてくれることでしょう。

もし思いつくものがあったら、さっそく飛び込んでみましょう。

ハルト君のように新しい自分に出会えるような環境は特におすすめです。

期待していたものとは違っていたら、どうすればいいの？

結局、自分には合わなかったら、どうしよう……。

そんな弱気な声が聞こえてきそうです。

サードプレイスは、前述のとおり「誰からも強制されず、自分の意志で参加できる場所」です。

ファーストプレイスとセカンドプレイスは、そう簡単にやめられるものではありませんが、サードプレイスは、嫌になったり、合わなかったりしたら、やめちゃえばいいだけです。それが「誰からも強制されず、自分の意志で参加できる場所」という意味です。

だから、先のことは、あまり心配せず、気軽にチャレンジです。

嫌なら、やめちゃって、また別の場所を探せばいいだけですから。

あー、また
タケル君から
LINEだ…
タケルくん
明日ゲーセン
行くぞ
夜電話する
返事マダー？
早く返事しないと
…イヤだなあ
ピ
ピ
彼氏？
うん…行きたくない
ところ無理矢理
連れてかれるし、返事
遅いときげん悪く
なるんだ…

服装とかにも口出ししてきて、
この髪型も彼が好きって
言うからしてるし
支配されてる
気分。彼と一緒にいても
楽しくないし、すごく
息苦しく感じるの…

えー、じゃあ別れなよ！
ドン
そう思うなら
自分の言葉で
直接ハッキリ
言うしかないよ
わかってるん
だけど、なかなか
言い出せなくて
そうだね…

……

でさー
そこの店員が
マジムカつく言い方
してきてー

ピタ
あ？
どしたの
アヤカ？

……タ、
タケル君
私、最近…
タケル君と
一緒にいるの…
つらくて…
い、いったん
距離を置きたいんだけど…

え？
なにそれ…
別れようってこと？
うん…

……
……

ねー
もしかして
元々オレのこと
好きじゃなかったの？
ううん、
嫌いじゃ
なかったよ！

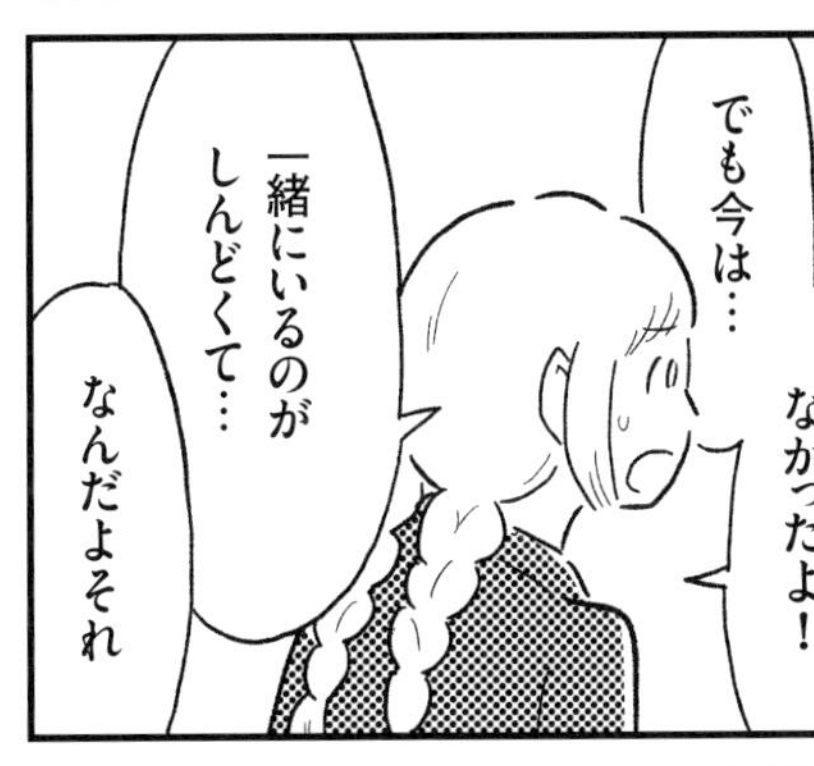
でも今は…
一緒にいるのが
しんどくて…
なんだよそれ

だったら、付き合う前に、ちゃんと
そう言ってくれよ…後から
言われる方が何倍も傷つくよ。
オレ…アヤカがそんな風に
思ってたなんて全然
しらなかった。

そうだよね…
今まで言えなくて
本当に
ごめんなさい…
…でも

やっと
言えた…

正直な思いを言葉にする

自分にOKを出せない人の多くに、自己主張が苦手、特に「NO」と言うのが苦手という特徴があります。

・今日こそ早く家に帰って、提出期限のせまっている通信講座の課題を仕上げようと決めていたのに、帰り際に友達からカラオケに誘われると、けっきょく自分のことは後回しにしてしまい、YESと言ってしまう。そして、浮かぬ顔をして参加するも、何となく後ろめたい気分に包まれているため、気もそぞろで、本気で楽しめない……。

・担任から文化祭の実行委員を頼まれてしまった。それじゃなくても、いっぱいいっぱいの状況なのに、顔をひきつらせながら、YESと言ってしまう（引き受けてしまう）。

その後、がんばりすぎてしまい、ちょっと体調を崩してしまうも、それすら言い出せずに、自分を犠牲にしてまで人に尽くしてしまう……。

・店員さんにすすめられた洋服は、自分には派手すぎると戸惑いながらも、カゴに入れてしまう。その後も試着したら最後、絶対に断れない。家に帰る途中、ふと我に返り、服の入った紙袋を持っている両手が、重く感じる……。

・美容院で新しい髪型を提案されると、本当は気乗りしていないのに、せっかく提案してもらったのに断るのも悪いと思い、ついついその提案に乗ってしまう。家に帰って、鏡を見たら、やっぱりぜんぜん似合っていなくて、ため息が出てしまった……。

このように、その場しのぎで、反射的に「YES」と言ってしまうことって、ありませんか。

その他にも、「NO」と言うのが苦手な人は、このような経験をしたことがあると思います。

例えば、学校のクラスでは、年に一回、班ごとに課題の発表をする機会があるとします。

自分が属する班では、発表に使う資料を全部で10点つくることになりました。それぞれの分担を決める話し合いの中で、発表係をまぬがれる代わりに、資料5点の作成を班のメンバーからお願いされました。

自分にとっては、正直かなりハードルが高い分担だと感じました。でも、やっぱり断るのが苦手なので、いつものように、あまり後先のことを考えずに、なかばその場しのぎで、「わかった。いいよ」と安請け合いしてしまいました。

でも、この後、往々にして起こるのが、以下の3パターンです。

①期限ギリギリになって、「やっぱり無理でした。何とかならない？」と泣きを入れる。

②期限を過ぎているのに提出できない。

③完成度が低い状態、いわゆる「やっつけ仕事」で提出してしまう。

お断りできずに引き受けてしまった理由は、みんなに迷惑をかけたくない、断ることによって自分が嫌な思いをしたくない&相手にも嫌な思いをさせたくない、断ることによって自分の価値を下げたくないなどだと思います。

でも、結果的に、これほど迷惑で、あなたも周りの人たちも嫌な思いをして、あなたの信用度や好感度まで下げてしまうことはないのです。

①~③のようになってしまったら、結局、班長があなたに代わって、無理してでも資料を仕上げなければならなくなったり、そうでなければ、他のメンバーにお願いしたり、

担任の先生と交渉して発表日を他の班とかえてもらったり、いろいろな人に迷惑がかかってしまいます。

班長はもちろんのこと、他のメンバー、担任の先生、場合によっては他のクラスメートまでが嫌な思いをします。もちろん、あなたも相当、肩身の狭い思いをすることになるでしょう。

やはり無理なら、**最初の段階で「ＮＯ」という意思表示をしなくてはなりません。**

ただ、美容院やアパレルショップの店員に対してならまだしも、よく知っているクラスメートや友達に対して、全か無か（all or nothing）の発想で「ＮＯ」と返答するのは、あまりにも冷たすぎますし、無責任な感じにもなってしまいます。これはこれで相手に迷惑をかけたり、不快な思いをさせてしまいます。

そんなときのために、ふたつの粋（いき）な選択肢をご紹介します。**相手を不快にさせないし、迷惑もかけない断り方です。**

まず一つ目は、「**Thank you, but no thank you.**」です。

一番最初のカラオケに誘われた例だと、「誘ってくれて、ありがとう。でも、今日中に仕上げなきゃならない課題があるから、今日は遠慮しておく。また誘って」

こんなふうに、さらっと笑顔で爽やかに言えるようになってください。

そして、もうひとつが「**No, but ~.**」という表現です。全否定ではなく、代替案を示すという方法です。

例えば、資料5点の作成依頼を受けたときに、「5点は無理だけど、3点なら何とかできそう」とか「来週の金曜日までは、ちょっと厳しいけど、再来週の水曜日までなら、何とかなりそう」、こんな感じです。

これならハードルが、ぐっと下がりますよね。

せっかくなので、もうひとつ、「YES」と答えるにしても、もっといい表現がありますのでご紹介しておきます。

それは、「**Yes, and ~.**」です。

例えば、「今日は、この後、図書館で勉強していかない?」という友達からの誘いに対して、「うん、いいよ。それと、図書館の隣にカフェがオープンしたらしいんだけど、勉強が終わったら、寄っていかない?」こんなふうに「and」を使って、自分のアイデアも添えてみましょう。会話がさらに弾みます。

自分にOKが出せない人は、受け身のコミュニケーションが多くなってしまいがちですが、「**Yes, and ~.**」は、**能動的なコミュニケーションに発展させることができる表現なのです。**

もし伝えないと、その「思い」はなかったことになってしまう

友達を増やしたり、恋人をつくったりするためには、相手をがっかりさせてはいけない、相手の期待に応えなくてはいけない、相手の思う通りの自分でいなくてはいけないと思っていませんか。

そうして、友達の数を増やしたり、恋人ができたりすれば、自分にOKが出せるようになると思っていませんか。

もし、自分の意見や本音を完全に押し殺してまで、無理して相手と話を合わせたり、アヤカさんのようにあまり好きでもない人と付き合っていたりしたら、その方がむしろ自分にOKを出せなくなってしまいます。

だって、それは自分に嘘をついているわけですから。

自分の嘘は自分が見抜いています。自分はごまかせません。だから、ますます自分のことを嫌いになってしまいます。

それよりも、適切な自己主張をする方が大事です。

ちゃんと自分の本心を言葉にできていれば、それは自分に正直になっていることです。その方が、自分にOKを出せる場面が確実に増えます。

これから皆さんが足を踏み入れる大人の世界では、要望、そして不平、不満、不安などは、ちゃんと言葉にして伝えないと、その要望、そして不平、不満、不安がないと判断されてしまうことが多くなります。そこが家庭や学校や塾と違うところです。

例えば、家庭や塾であれば、親や兄弟が気をきかせて、いろいろと先回りしてくれたり、優しくて親切な先生は、表情や雰囲気から皆さんの思っていることを読み取ってくれて、かゆいところにも手が届くような対応をしてくれたりするかもしれませんが、社会に出ると、なかなかそうはいきません。

そうすると、寒そうなジェスチャーをしたり、しかめっ面をしたりして不快な感情を露骨に顔に出すなど、言葉以外で伝えようとする人がいますが、それはダメです。

今から少しずつでいいので、寒ければ「寒い」、暑ければ「暑い」など、自分の思いを言葉で伝えるようにしてください。

そして、そこから少しずつ発展させていきましょう。

嫌なことは嫌、無理なことは無理、それは困ります、など、さらには、何が気に入らないのか、どうしてほしいのかまで、しっかりと自分の思いを言葉で伝えられるようになってください。

そして、そのとき、言い方も大事です。

感情をむき出しにして伝えてしまうと、自分はスッキリするかもしれませんが、相手は不快に感じてしまいます。

それは決して好ましいことではありません。

冷静に、そしてエレガントに（上品に）伝えることを心がけてください。

確かに、言葉には、あいまいさや限界があるのは事実です。それでも言葉じゃないと伝わらないことが、たくさんあります。

特に、「ありがとう」や「ごめんなさい」は、相手の心や気持ちを完了（スッキリ）させる大きな力を持っています。

いずれにしろ、**言葉にしない限り、**あなたの大切な「思い」は残念ながら、なかなか**他人には伝わりません。つまり、なかったことになってしまうのです。**なかったことになるだけなら、まだマシかもしれません。恋愛感情に多いのですが、場合によっては、逆に思われてしまうことだってあるのです。

せっかくなので、最後にもうひとつ恋愛に関して、お伝えしておきたいことがあります。

好きな人に告白できていないことも大きな未完了、つまり気がかりになります（もう一度、143ページ②の未完了リストを見直してみてください）。

告白という一か八かの勝負に出て、距離を置かれてしまう危険を冒すくらいなら、「友達以上恋人未満」の微妙な関係を維持していた方がいいと思っている人が多いのではないでしょうか。

でも、もし告白できていないことが、大きな未完了（気がかり）になってしまっているのなら、私は個人的には勝負に出た方がいいと思っています。

撃沈したら、どうするかって？

苦い経験は青春時代のスパイスみたいなもの。少しくらいないと味気ないです。

結婚してから参加した同窓会で、実は相思相愛だったと知ったところで、時計の針は巻き戻せません。

そっちの方が切ないですよ。多分。経験したことないから推測だけど。

うん、オレって
もともと根拠の
ない自信に満ち
あふれていた
はずなんだけどな…

いいからオレの
練習方法に
従え！

うるさい！
口応えするな

キャプテンは
強引ですよ
ぼくらの話も
聞いて下さい

陸上部で押さえつけるような
指導していたら後輩がついて
こなくなっちまって…

おい！

ぼくらは
ぼくらで
やります！

オレのやり方って
間違って
いたのかな…

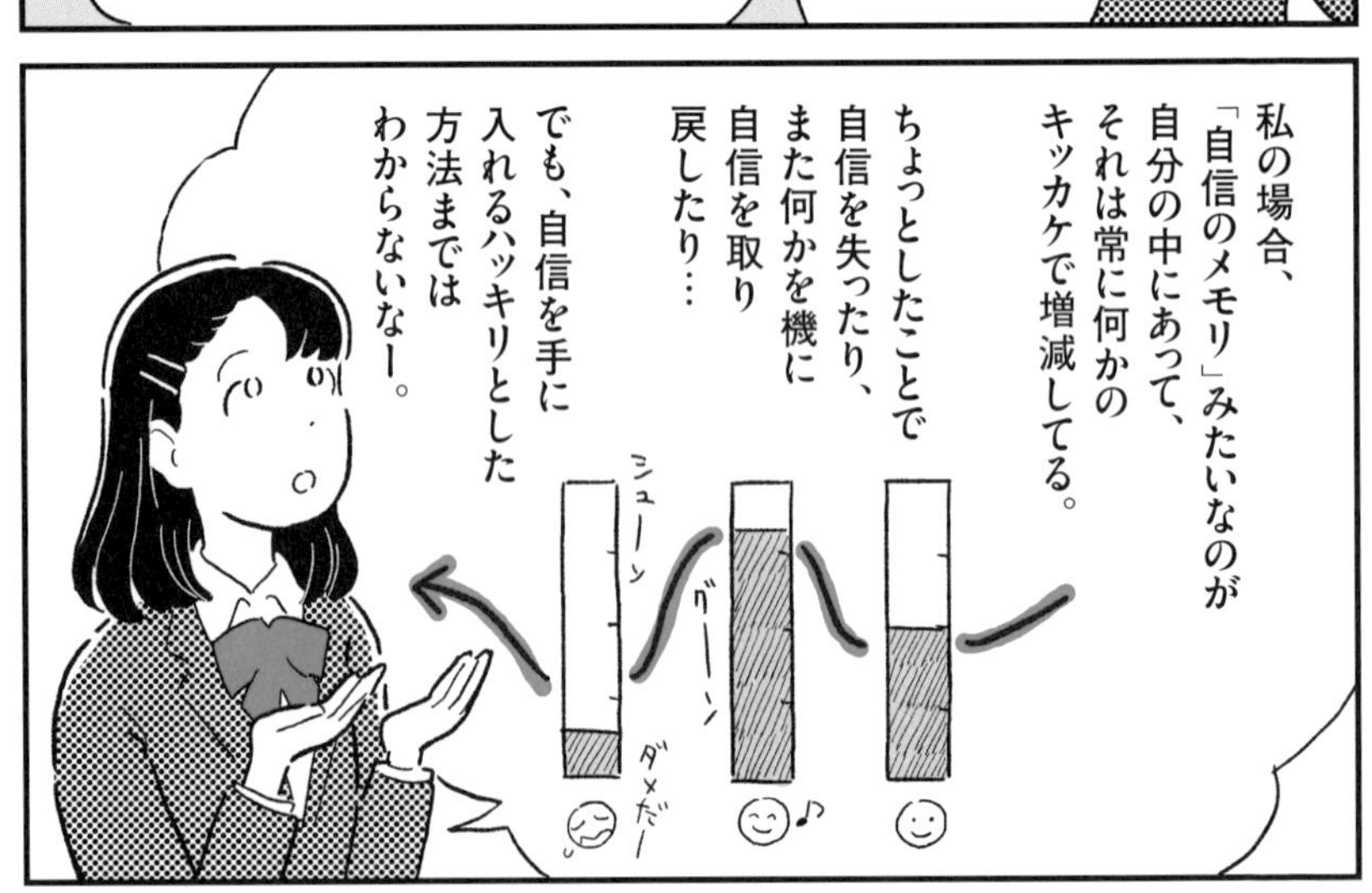

ボクは以前は自信って誰かが授けてくれるものだと思ってた。

覚えられない…

1日2時間台本読もう
できた！

でも、最近ようやくボク自身で「自信」を手に入れるしかないってことがわかってきたよ。

やったな！

よかったよ

そうだよね。自然と身につくものではないことだけは確かだよね。
距離を置こう…
えっ…
言えた… やった！
うん
でもイヤなことはイヤって言うからね
別れても友達同士でいるのはいいか？

ところでアヤカ、髪型変えたんだね！
本当は下ろしてる方が好きなの
そうなんだ
いつのまにか、みんな自信つけてきたな。
どうすれば、自信を取り戻せるんだろう…

どうしたら自信がつくの？～約束を守る～

自信と約束には強い関連性があります。

まず「約束」に関して、確認しておきましょう。

私たちは、友達、先輩後輩、先生、親や兄弟姉妹など、いろいろな人たちと、いろいろな約束を交わします。

例えば、来月の末に開催される校内マラソン大会に備えて、土曜日の朝、友達数人と公園をジョギングするという約束をしたとしましょう。

でも、土曜日の朝、起きてみたら、いつもより風が強くて、しかも今にも雨が降りだしそうな、どんよりとした曇り空でした。

もし、誰とも約束していなければ、「やっぱり、やーめた。来週からでいいや」ということになり、即、二度寝ということになるでしょう。

ところが、友達と一緒に走る約束をしていれば、無理をしてでも起きて、約束した時間に間に合うように、集合場所に向かうことになるでしょう。

このように約束を守るには、苦労、苦痛、犠牲を伴うことも多く、気乗りしなかったり、面倒に感じることもあるはずです。

それにもかかわらず、私たちは誰かと交わした約束を守ろうと努力します。

なぜ私たちは約束を守るのでしょうか？

親や先生から、そう言われ続けてきたからでしょうか。

それが常識、または、人として当たり前のことだからでしょうか。

実は、それ以上の理由があります。

一番の理由は、メリット、つまり「いいこと」があるからです。

改めて確認する必要はないかもしれませんが、約束を守ることによって、私たちは相手からの信頼を得ることができます。好感度も上がります。そして、高い評価を得ることもできるのです。

このように、得られる報酬がたくさんあるからこそ、私たちは、苦痛を伴うことになっても、約束を守ろうと努力するのです。

さきほど冒頭で列挙した約束を交わす相手（友達、先輩後輩、先生、親や兄弟姉妹など）の中に、大事な人が一人含まれていなかったのですが、気づいていましたか。

それは誰だと思いますか。

答えは、「**自分**」です。

約束には、「他人との約束」だけでなく、「自分との約束」もあります。

「自分との約束」とは、目標など、自分でやろうと決めたことです。

例えば、

今日は、家に帰ったら、真っ先に宿題を終わらせよう、

今週中に英語と数学の問題集を買いに行こう、

今月中には、美術の課題を仕上げよう。

こういったものが、すべて自分との約束になります。

他人との約束と比べ、この自分との約束は、軽く考えがちです。

特に、他人から気に入られれば、自分にOKを出せると思っている人は、他人からの評価を気にするあまり、「人をがっかりさせないこと」や「他人からの好感度を上げること」を最優先課題としてしまうため、自分との約束を後回しにしてでも、他人との約束を守ろうとします。

そこまでいかなくても、「他人との約束」ほどは、「自分との約束」を重要視しない人が多いと思います。

自分との約束を軽視している人たちは、きっと、内心では、こんなふうに考えていることでしょう。

・自分との約束は破ってしまっても、誰にも迷惑をかけない。
・友達、そして親や兄弟姉妹など周囲の人たちに宣言していなければ、その「自分との約束」をなかったことにしてしまっても、誰にも何も言われないし、恥ずかしい思いもしなくてすむ。

本当に、そうなのでしょうか。

「自分との約束」を破り続けていると、いったい、人はどうなっていくのでしょうか？

さきほど、約束を守ることのメリットを確認しましたが、約束を破ったら、どうなるかも確認しておきましょう。

「他人との約束」を破れば、他人からの信頼、好感度、評価のすべてが、がた落ちします。

特に、いわゆる「**ドタキャン**」と「**約束を破った後に何もフォローをしないこと**」、この2点は、最も信頼を失う行為です。それまでコツコツと積み重ねてきた信頼を、跡形もなく一気に吹き飛ばしてしまうくらい致命的な行為とも言えます。

もちろん「自分との約束」でも全く同じ現象が起こります。

「自分との約束」をしっかりと守れば、自己信頼（自信）や自己評価は上がります。そして、自分のことが好きになれます。

その一方で、「自分との約束」を破れば、自己信頼（自信）や自己評価は下がってしまうのです。

友達に、約束を破られたら、がっかりしますよね。その人のことを、ちょっと嫌いになっちゃいますよね。

だから、自分との約束を破れば、自分にがっかりしてしまいます。そして、自分のことが、ちょっと嫌いになってしまうのです。

つまり、「自分との約束」を破るという行為は、自分自身に対する背任であり、裏切りでもあります。心の自傷行為と言っても過言ではありません。

常にあなたは、あなた自身を見ています。巧みな嘘や言い訳を並べれば、他人を欺くことはできるかもしれませんが、決して自分自身を欺くことはできません。

だから、私たちは、自分自身と交わした約束とも真剣に向き合い、それらをひとつひとつ着実に守っていくことが大切です。

特に「自信がない」が口癖の人は、自分との約束を他人との約束と同様に大切に扱い、「自分との約束」も、しっかりと守るように心がけましょう。

１７２ページのカラオケの例を振り返ってみましょう。

今日こそは早く家に帰って、提出期限のせまっている通信講座の課題を仕上げようと決めていたのに、帰り際に友達からカラオケに誘われて、けっきょくカラオケを選んでしまいました。

これってまさに、自分との約束を破っています。しかも、致命的なのはドタキャンしているわけです。

さらに言わせてもらえば、カラオケに行くことは、友達と約束していたわけではありません。突然、言われたことです。

だから、ＮＯと言っても、他人との約束を破ったことにはなりません。

ここはまさに、１７５ページでご紹介した「相手を不快にさせないし、迷惑もかけない断り方（Thank you, but no thank you.）」の出番です。

しかも、もしこの後、「まっ、いっか」なんて軽く考えて、ずーっと課題を後回しにしていたら、約束を破ったことに関して、何もフォローしていないことになります。

これって**前述の最も信頼を失う行為（ドタキャンとフォローなし）を二つとも自分にしてしまっています。**

何気ない日常のひとコマが、こうして著（いちじる）しく自信の低下を招いているのです。

おわりに

第3章と第4章を読み進める中で、新たな発見の連続だった人、うすうす感じていたことの再確認が多かった人、その多くをすでに実践中の人と、本書の内容から得られる気づきは、様々だったと思います。

また、この本が、歩む速度を緩めたり、立ち止まるキッカケになった人、気持ちを新たに再び立ち上がったり、歩き始めるキッカケになった人、自信を深め、さらに加速するキッカケになった人と、反応も様々だったことでしょう。

皆さんの中には、世界を変えることを目指して、波乱に満ちた激動の人生を望む人もいれば、安定を重視し、自分のペースで、のんびりとした人生を送りたいと思っている人もいるはずです。

それぞれの現状や価値観、目指している方向によって、本書の役割や本書から得られる気づきは異なるかもしれませんが、どんな形であれ、皆さんの考え方や行動に何かプラスの影響を与えられたのであれば、私がこの本を書いた目的が達成されたことになります。

私の望みは、ただひとつ。

自分自身の嫌な部分とも、ちゃんと仲直りして、自分にOKを出せるようになって、皆さんに、それぞれの舞台で輝く主人公になってもらうことです。

他人との良好な関係、状況に対する前向きな働きかけや積極的な行動も、すべてそこから始まるような気がしています。

今後、皆さんが、少しでも心穏やかに生きられますように。

皆さんに、よい出会いがありますように。

ご自身の舞台で、主役として存分に自分らしさを発揮できて、人生を思い切り楽しめますように。

そして何より、皆さんの今後の健康と幸せを心よりお祈りしています。

We are OK. We are all excellent.

No problem. So don't worry. Keep on smiling and be happy!

(私たちはOK。私たちは、みんな素晴らしい存在です。

大丈夫。だから心配しないで。いつも笑顔で。そして、お幸せに！)

著／内田和俊（うちだ　かずとし）
1968年東京都生まれ。早稲田大学法学部卒業。人材育成コンサルタント。1994年～2002年、大学受験専門の英語塾を経営。教科指導のみならず、効果的な勉強方法やモチベーションアップの方法を指導。その中で、心理学、コーチングを学び、カウンセリング事業を始める。その後、そのメソッドを社会人向けに展開し、大手企業を対象にした社員研修やコンサルティングを実施。１年間で約１万人に集合研修、500人に個人セッションを行っている。著書多数。

マンガ／石山さやか（いしやま　さやか）
1981年埼玉県生まれ。創形美術学校ビジュアルデザイン科イラストレーション専攻卒業。イラストレーター、漫画家。書籍装丁、CDジャケット、雑誌・小説・児童書挿絵など幅広い分野で活動中。
著書に『サザンウィンドウ・サザンドア』（祥伝社）がある。

10代の「めんどい」が楽になる本

2020年９月４日　初版発行
2022年７月10日　３版発行

著　者　内田 和俊（うちだ かずとし）
マンガ　石山 さやか（いしやま）
発行者　青柳 昌行
発　行　株式会社KADOKAWA
〒102-8177 東京都千代田区富士見2-13-3
電話　0570-002-301（ナビダイヤル）
印刷所　大日本印刷株式会社

●お問い合わせ　https://www.kadokawa.co.jp/（「お問い合わせ」へお進みください）
※内容によっては、お答えできない場合があります。
※サポートは日本国内のみとさせていただきます。
※ Japanese text only

定価はカバーに表示してあります。

ISBN 978-4-04-604761-8　C0011